Carole Fives

Tenir
jusqu'à l'aube

Gallimard

Cet ouvrage a précédemment paru
dans la collection L'Arbalète
aux Éditions Gallimard.

Carole Fives est née en 1971 et vit actuellement à Lyon. Elle a publié plusieurs ouvrages salués par la critique : *Quand nous serons heureux*, prix Technikart et prix Jeunes Talents Fnac, *Que nos vies aient l'air d'un film parfait*, prix L'Usage du monde, *C'est dimanche et je n'y suis pour rien*, *Une femme au téléphone* et *Tenir jusqu'à l'aube*, prix Boris Vian, ainsi que plusieurs ouvrages pour la jeunesse à L'école des loisirs et chez Hélium.

À mon fils Odilon,

C'était, paraît-il, des chèvres indépendantes,
voulant à tout prix le grand air et la liberté.

ALPHONSE DAUDET

S'échapper

I

Avec quelle confiance l'enfant a avalé ses pâtes, ses légumes. Il a même terminé le yaourt aux fraises, son biberon de lait tiède. Avec ça, il devrait être calé.

Elle lui a lu une histoire, est restée près de lui jusqu'à ce que les petits poings se desserrent et relâchent enfin sa main.

Elle a encore patienté quelques minutes, l'obscurité de la pièce à peine perturbée par le stroboscope de la veilleuse lapin.

La porte d'entrée qu'elle referme avec mille précautions derrière elle.

Dans le hall, l'éclairage automatique se déclenche.

Il y a encore tant de monde dehors.

Un grand vent frais.

Marcher, juste, marcher. À peine le tour du pâté de maisons.

De la musique sort des fenêtres ouvertes d'un appartement, des rythmes de salsa. Elle perçoit des silhouettes. Des voix reprennent en espagnol un refrain qu'elle ne connaît pas. Quelqu'un se penche à la fenêtre, elle accélère.

Elle stoppe net devant la vitrine d'une agence immobilière. Les annonces s'illuminent sur les écrans LCD. Dernier étage avec terrasse, 1 100 euros. Triplex ensoleillé, 850. La campagne à la ville, maison + jardinet, 1 200. Idéalement placé, traversant est-ouest, 850. Joli canut, pentes de la Croix-Rousse, 880.

Plus loin un autre appartement, une autre fête. Un son plus rock, plus puissant.

Un livreur à scooter l'évite de justesse sur le trottoir, elle bondit et s'excuserait presque.

Une petite bande éméchée traverse la rue, il est vraiment ! Il est vraiment phénoménal.

Mais son smartphone vibre déjà dans sa poche.

Elle ralentit, savoure ses derniers pas.

Le badge sur l'interphone, les escaliers quatre à quatre.

Sixième étage droite.

Elle rouvre la porte, essoufflée.

À l'intérieur, rien n'a bougé.

Dans la petite chambre, le ronflement régulier de l'enfant.

Il est encore enrhumé, demain, elle lui fera un lavage de nez, même s'il déteste ça.

C'est bon pour ce soir.

Désormais elle tient ce trésor, elle pourra recommencer.

2

Ils étaient coincés, piégés, dans cette minuscule salle d'attente.

Une femme brandissait sous leur nez un sein énorme, avant d'y plaquer la tête d'un nourrisson tenu en écharpe. Sur le canapé, une mère voilée faisait écouter à sa fillette des comptines glanées sur son smartphone. Tapis tapis rouge, scandait la machine. Pas un jouet dans cette pièce, pas un livre, pas un camion de pompiers cassé ni même une pauvre peluche, c'était un pédiatre qui s'imaginait peut-être que les enfants n'avaient pas besoin de jouer, un idiot bien sûr, pourquoi avait-elle traversé la ville pour un idiot, est-ce qu'elle avait besoin de ça, de cette fatigue supplémentaire ?

Elle aurait dû se fier aux quelques avis sur Google à propos d'Alain Gérard, pédiatre à Lyon 5e arrondissement.

Myriam M n'écrivait-elle pas le 12 décembre, il y avait à peine trois mois, que ce spécialiste avait refusé de peser et de mesurer sa fille, sous prétexte qu'on l'avait consulté en urgence pour une simple otite. Il avait même insinué, précisait, outrée, Myriam M, que sa fille «faisait des comédies», et l'avait finalement traitée de «petite princesse». Mais le pédiatre s'y entendait pour vous tendre la machine à carte bleue, alors ça oui, et Myriam M de conclure «Soixante euros pour trois minutes, c'est un voleur!»

Comment la politique de confidentialité de Google avait laissé passer ça, et comment le pédiatre, voleur ou pas, avait supporté qu'on puisse tomber sur ce commentaire lorsqu'on entrait son nom sur le moteur de recherche, c'était une autre histoire, mais l'avis de Myriam M était venu conforter sa première intuition, intuition qu'en général elle ne suivait jamais, intuition qu'elle avait même passé sa vie à contredire, et voilà où ça l'avait menée. C'était pourtant une amie qui lui avait donné le nom du docteur Gérard, oui, elle le lui avait envoyé par SMS en précisant qu'Alain Gérard était sans doute la personne la plus appropriée pour son fils, car, écrivait l'amie, «il pratique les TCC». Elle ne savait pas au juste ce que recouvrait le sigle TCC, troubles du comportement, troubles du caractère, très très en colère? Elle s'était empressée de prendre rendez-vous avec le spécialiste en question, et c'est en vérifiant son adresse, la veille, qu'elle était tombée sur le commentaire de Myriam M.

Trop tard, le rendez-vous était fixé à seize

heures et voilà qu'il était dix-sept heures trente, qu'ils poireautaient depuis presque deux heures.

La femme au sein était passée, la petite fille et sa mère aussi, il ne restait plus qu'eux dans la salle d'attente, ainsi qu'un homme d'une quarantaine d'années, dont elle avait à peine remarqué la présence jusqu'ici, attendait-il sa femme ou son enfant, pour le moment il triturait nerveusement sa courte barbe. Le spécialiste réapparut enfin, et alors qu'elle s'apprêtait à se lever, il prononça un autre nom, un tout autre nom que le sien, et l'homme à la barbe se leva, ses mocassins à bout pointus crissèrent sur le lino de la salle d'attente, il s'éclipsa à la suite du pédiatre. Son fils la regarda avec inquiétude, « Et le docteur ? » Elle prit son ton calme et rassurant, « C'est bientôt notre tour. »

Il fallut encore patienter une heure, elle la passa à se demander ce qu'un type de quarante ans pouvait bien faire dans le cabinet d'un pédiatre, même spécialisé dans les mystérieux TCC, souffrait-il de symptômes particuliers que seul un professionnel de la petite enfance pouvait soulager ? Était-il resté bloqué au stade anal ou oral ? Faisait-il encore pipi au lit ? Elle se leva et ouvrit l'unique fenêtre de la pièce. Elle prit l'enfant dans ses bras et ils contemplèrent le paysage qui s'offrait à eux : une cour bétonnée sur laquelle donnaient d'autres fenêtres silencieuses, et au milieu un arbre, un arbre immense

dont l'enfant observa les feuilles, le frémisse-
ment des feuilles dans la nuit tombante.

Il avait fini par réapparaître. Vêtu d'une chemise de lin entrouverte et d'un pantalon de toile
clair, bronzé et les traits reposés grâce à une pratique qu'elle supposa outrancière de la sophro-
logie, le docteur Gérard leur intima l'ordre de le
suivre. Il tapotait de ses doigts musclés le cadran
de sa montre comme s'ils étaient en retard tous
les deux, la mère et son enfant ; comme si ça ne
faisait pas des heures qu'ils attendaient, tout en
le redoutant, ce moment-là.

Le cabinet était aveugle, sans fenêtre ni porte,
hormis celle par laquelle ils étaient entrés, et qui
elle aussi semblait se dérober sous leurs pas.

— Vous n'êtes pas une de mes patientes ! Que
faites-vous là ?

Elle aurait aimé lui demander où était passé
l'homme aux mocassins pointus, par quelle porte
escamotable et par quel escalier secret l'avait-il fait
disparaître ainsi que les autres personnes avec qui
elle avait partagé sa salle d'attente. L'enfant devait
se poser la même question, car il s'approcha d'un
placard et tenta d'en entrouvrir la porte métal-
lique.

— Pas touche, maugréa le pédiatre.

— Je… c'est… une amie qui m'a donné votre
nom… qui m'a parlé de vous… m'a conseillé de…

Elle épela le nom de l'amie, R.I.C.H.E.U.X,
Hélène Richeux. Ce nom comme une offrande,

un signe de ralliement, elle n'était pas sa patiente certes, mais sa présence en ces lieux n'était pas non plus le fait du hasard, elle n'avait pas trouvé son nom dans les pages jaunes, elle n'était pas du genre de Myriam M, à déranger cet éminent pédiatre pour une simple otite, elle savait qu'il était spécialiste en TCC... Le nom de l'amie ne sembla rien évoquer à Alain Gérard, qui balaya l'information d'un geste de la main, quoi d'autre ?

L'enfant escaladait ses genoux, comme s'il voulait s'assurer de la présence de sa mère dans cette pièce, comme s'il se demandait lui aussi si la scène était bien réelle.

Le petit souffrait de démangeaisons, et elle semblait s'en excuser auprès d'Alain Gérard, il se grattait, enfin par moments, des plaques apparaissaient sur ses jambes, ses genoux, plaques qui se muaient alors en croûtes, elle s'enhardissait, les coudes aussi...

— Et alors ?

Elle répéta après le pédiatre, « Et alors quoi ? »

Alain Gérard se raidit, « Qui vous a dit que je faisais des miracles ? Je ne suis pas magicien ! »

Le petit éclata de rire, il reconnaissait ce mot, un magicien, un clown, un numéro de cirque, c'était donc ça qu'on attendait depuis des heures, quel retournement inespéré.

— Je me disais que peut-être, ces démangeaisons avaient un sens... et puis, il y a le sommeil aussi, il se réveille encore chaque nuit...

Alain Gérard gribouilla quelques phrases sur le carnet de santé de l'enfant.

— Soixante euros.

Et il sortit de son chapeau magique non pas un lapin, non, pas même une tourterelle ou un foulard immaculé, mais un boîtier sombre à carte bleue.

Elle souffla et pensa, pour se donner du courage, à Myriam M qui était passée par là elle aussi. «Je peux vous faire un chèque?» Alain Gérard reposa brutalement la machine tandis qu'elle attrapait son chéquier. Ce genre de détail, non, ce n'était pas qu'un détail, lui rappelait une anecdote qui circulait à propos d'un psychanalyste de renom. Celui-ci n'avait pas supporté qu'un patient refuse de le payer en liquide. Il avait alors ouvert le tiroir de son bureau et en avait fait jaillir un tas de billets de banque qui s'étaient répandus à travers la pièce. Tout en vociférant quelque chose comme «Je veux du liquide, du liquide!»

Mais elle avait mal retenu cette anecdote à propos du psychanalyste, elle retenait mal les histoires, les drôles comme les moins drôles.

Quelques instants plus tard, ils étaient dans la rue. Elle attacha le harnais de sécurité à l'enfant qui s'endormit aussitôt dans sa poussette. La poussette filait, filait droit sur les pentes de la Croix-Rousse. Le visage bronzé d'Alain Gérard les poursuivait, il semblait se moquer d'eux.

Puis ce fut le visage de l'homme aux mocassins pointus qui se superposa à celui du pédiatre. La poussette dévalait les pentes alors que les rires des deux hommes vibraient dans la nuit lyonnaise.

3

Elle se redresse doucement. Un seul geste brusque et l'enfant se réveillera, exigera à nouveau sa présence. «À côté, à côté», réclame-t-il dès qu'il la sent s'éloigner. Longtemps ce soir-là, elle a laissé sa main contre le petit pyjama chaud, attendant que le corps de l'enfant se relâche et s'abandonne au sommeil. La porte de la chambre est entrouverte, la veilleuse est branchée.

Le temps que ses yeux se réhabituent à la lumière du couloir, c'est un autre appartement qui s'offre à elle.

Un appartement sans enfant, un lieu à soi.

Mais il est presque vingt-deux heures, la nuit sera courte, à cinq heures, cinq heures trente, le petit se réveillera, et ce sera à nouveau «à côté, à côté».

Elle ferme les volets.

Dans la rue, les bus, les taxis, les cafés…

Les gens sortent, se croisent, vont au cinéma. Un couple enlacé traverse l'avenue, et si c'était le père de l'enfant?

Elle allume la bouilloire, cherche une tasse propre dans le lave-vaisselle. Elle a une heure devant elle, une heure trente. Elle se souvient qu'il y a encore une lessive à étendre. Puis la vaisselle à ranger. Des messages urgents qui l'attendent dans sa boîte mail.

Elle veut mettre France Inter, mais un CD pour enfants est resté sur le lecteur, et l'air de la famille tortue, qu'on n'a jamais-jamais vue, retentit à travers tout l'appartement, avec le son au maximum, elle se jette sur le poste et l'éteint d'un coup sec. S'écroule sur le canapé plein de jouets. Une vraie crèche ce salon. Elle a déposé la tasse de déca bouillant sur le tapis d'éveil. À ne jamais faire en présence du petit. Elle se relève et déplace la tasse sur le rebord de la cheminée. Tant qu'elle est debout, elle en profite pour ranger la moto rouge en plastique, sur laquelle son fils se déplace presque exclusivement ces derniers jours. Elle la glisse entre le mur et le canapé, au garage, se dit-elle. Elle fait de même avec le petit vélo, puis le trotteur. Trébuche contre une voiture de pompiers, à moins que ce ne soit un Lego.

Elle réunit les briques colorées, les dépose dans un coffre en tissu. Trie ce qu'il reste sur le tapis, d'un côté les animaux de la ferme, de l'autre les petites voitures, les cartes du Memory éparpillées, les accessoires de la mallette de docteur mélangés avec les outils du parfait bricoleur, tournevis et marteaux minuscules, les ustensiles de cuisine, couverts, assiettes dépareillées, une tomate en plastique rejoint les autres légumes dans un petit panier... elle y fourre aussi quelques fruits, ananas, poire, un œuf blafard, on n'est pas à ça près.

Elle remet le plaid sur le canapé, les coussins sur le plaid, redresse la lampe du salon dont l'abat-jour a pris un mauvais coup, sans doute un ballon, tiens, les ballons, elle les ramasse et les cache en haut de l'armoire d'entrée, histoire que l'enfant n'y pense pas dès le réveil, qu'il évite de dribbler à cinq heures du matin sur la tête des voisins. Elle replace amoureusement les jouets, met tout en ordre pour que le lendemain le salon soit accueillant, la petite table bien propre, que l'enfant ait envie d'y poser une feuille et de dessiner, ou de retrouver sa dînette en place, les couteaux avec les couteaux, les casseroles avec les poêles. À l'aube, il se ruera sur ses jouets, et une nouvelle journée commencera. Elle croit l'avoir entendu gémir dans la chambre, elle s'immobilise sur le tapis d'éveil. Ne te réveille pas. Pas déjà.

Le déca est froid, elle le dépose dans l'évier. S'étire. Le bas du dos est endolori, à force de porter l'enfant. Maman, les bras, les bras. Elle se surprend souvent dans cette position, les mains sur les hanches, bassin en avant, comme lorsqu'elle était enceinte. Elle se surprend souvent à parler d'elle à la troisième personne, « Maman va faire ceci, Maman doit faire cela. »

Dans la salle de bains, des jeux plein la baignoire, petits canards, cannes à pêche, arrosoir, elle se penche, les ramasse un par un, les fait sécher sur le bord puis s'occupe du tapis de bain et du sol, trempés tous les deux. Les serviettes mouillées et les vêtements de la journée, qu'elle lance dans la corbeille à linge, sans distinguo. Elle se brosse les dents en moins d'une minute. La lessive. Elle a failli oublier la lessive à étendre. Elle ouvre le tambour du lave-linge, en extrait les vêtements humides qu'elle dépose dans un bac en plastique. Elle le porte jusqu'à sa chambre. L'étendoir croule déjà sous une précédente machine. Le linge semble à peu près sec, elle le dépose en tas sur son lit. Elle suspend un par un les tee-shirts, les mini-chaussettes, les bavoirs et les pyjamas.

Dans les toilettes, elle repousse le marchepied que l'enfant utilise pour se hisser sur le siège. Des traces d'urine sur l'assise, le petit est propre depuis quelques semaines seulement. Propre, c'est vite dit, elle attrape une éponge ainsi qu'un flacon de javel, elle pulvérise la javel sur le socle, puis à l'intérieur de la cuvette. Elle passe un coup d'éponge, qu'elle rince ensuite dans le lavabo de la salle de bains. Elle répète cet aller-retour trois ou quatre fois. Passer l'éponge, rincer, passer l'éponge. Elle entreprend ensuite de nettoyer le sol autour de la cuvette, éclaboussé lui aussi. Elle essore l'éponge, la range dans le placard avec la javel. Elle soupire de soulagement en s'installant sur les toilettes. Ne parvient pas à uriner. Fredonne un air qu'elle chante habituellement à son fils pour l'encourager, pipi, pipi la pluie…

S'endormir là, tout de suite, dans la lumière blanche des toilettes et l'odeur puissante de javel.

Dans sa chambre, elle tâtonne pour trouver l'interrupteur de la lampe de chevet. Repousse le tas de linge et les peluches qui jonchent l'édredon, l'enfant adore en oublier là, après avoir utilisé le matelas comme un trampoline tandis qu'elle cavale de droite et de gauche, essayant d'anticiper une éventuelle chute, se cognant les jambes contre les pieds de lit. Elle devrait acheter un casque pour ce gosse, vraiment, le lui enfiler aussitôt franchie la porte d'entrée. Et pour elle, des protège-tibias, comme les boxeurs.

Il faudrait faire un dernier tour dans la chambre du petit, un dernier tour de garde. Vérifier que tout va bien, qu'il n'a pas repoussé la couette dans son premier sommeil, qu'il ne s'est pas découvert, qu'il n'a ni trop chaud ni trop froid…

Mais elle est déjà allongée avec sa mauvaise conscience et, sur la poitrine, un roman dont elle a oublié le début. Un roman commencé cent fois et jamais terminé. Un roman dont elle a même oublié le titre.

Déjà des plaintes retentissent de la chambre qui jouxte la sienne. Maman, Maman ! Ne pas réagir. Compter jusqu'à cent quatre-vingts. Il faut qu'il apprenne à se rendormir seul. Trois longues minutes. Qu'il comprenne, de gré ou de force. Les cris sont de plus en plus impérieux. À presque deux ans, on fait ses nuits. L'enfant hurle, furieux de ne pas la voir accourir. Les voisins, il va réveiller les voisins, et même tout l'immeuble. Demain elle essuiera les regards lourds de reproches. C'est la mère célibataire du sixième. Elle ne sait pas faire dormir son gosse. Ça promet. Elle se précipite dans la petite pièce, l'enfant se tient debout sur son lit, écarlate. Maman, les bras, les bras !

Simplement le rassurer, l'embrasser, ne pas le prendre contre elle. Le message doit rester clair : La nuit, on dort. Pas de câlin, ni de biberon. Pas d'atermoiement.

— Je suis là.

— À côté ! À côté !

— Chut…

4

Que fait-elle endormie sur cette couette posée à même le sol ? Elle dégage sa main engourdie du corps tiède de l'enfant.

Le petit tousse à plusieurs reprises. Un courant d'air s'est infiltré dans la chambre. La lumière du couloir est restée allumée, la veilleuse lapin n'a pas cessé de clignoter.

Elle vérifie le radiateur, il est glacé. Demain, elle téléphonera à l'agence immobilière. Faire preuve de fermeté. Le chauffage est inclus dans les charges. Il n'y a pas de raison de passer un nouvel hiver dans le froid. Le mieux serait sans doute d'appeler un plombier, mais à qui s'adresser et combien ça coûterait ? Elle s'approche de la fenêtre. Le châssis en fer n'est plus étanche. Le colmater avec un drap. Le tissu tombe à plusieurs reprises, elle parvient à l'ajuster à peu près.

Quitter au plus vite cet appartement cher et mal isolé. Cet appartement où elle est arrivée avec le père de l'enfant et dont ils partageaient le loyer. Seule, ce n'est plus possible. Mais qui acceptera de lui louer quelque chose? Elle n'a plus de salaire fixe et peine à décrocher quelques contrats en free-lance. Se faire un nouveau réseau, dans cette nouvelle ville. Réagir au plus vite. Mais d'abord trouver une solution de garde pour l'enfant. Sortir de cette dissolution des jours et des nuits.

Elle entrouvre la porte de la penderie dans l'entrée. En décroche un gilet XXL laissé par le père. Dans la chambre, l'enfant dort bouche et poings ouverts, tête à la renverse. Elle recouvre son ventre et ses jambes avec le vêtement. Elle pourrait couvrir le visage aussi. L'enfant ne sentirait rien, il étoufferait lentement. Elle caresse la joue si lisse, la peau toute neuve. Je t'aime mon amour, dors bien.

L'enfant tousse à nouveau, essaie de se redresser.

Elle attrape un coussin, le glisse sous l'oreiller afin de le surélever. Voilà, comme ça tu seras mieux.

L'ordinateur est resté en veille. Sur le coin de l'écran, elle lit trois heures trente. Sur son moteur de recherche, elle entre : MÈRE SEULE + GALÈRE.

Des forums, des dizaines de forums.

Des centaines de conseils pour les «solos».

Solo, c'est moins sinistre que seule.

Solo, ça renouvelle la figure de la mère célibataire, larguée, quittée, abandonnée, ça éloigne le cliché misérable de la fille-mère, de l'adolescente promenant son landau sur un trottoir défoncé du nord de la France. Ça sonne comme une référence de grande surface lancée à coups d'annonces publicitaires et de promos.

On présente la solo comme une battante, la superwoman des années 80 s'est dotée d'un nouveau pouvoir, en plus de travailler et de rester jeune, elle élève ses enfants elle-même. Elle est libre, totalement libre cette fois. De quoi se plaint-elle ? La solo a parfois poussé le bouchon jusqu'à faire un bébé toute seule, c'est son choix, son problème, elle n'a qu'à assumer et bien se tenir.

Sur les forums, les femmes rivalisent d'ingéniosité, échangent conseils et bons plans, il faut montrer qu'on peut être une femme active et une mère seule. Que malgré les difficultés, malgré les galères, on s'en sort. On tient le coup. « C'est sûr que c'est dur mais quand je les vois sourire, j'oublie tout », écrit Babette51. « Il y a des moments vraiment pas faciles mais qu'est-ce qu'on deviendrait sans eux ? » renchérit Magic_mum.

Sur internet, la grande chaîne de solidarité féminine s'organise et les Mères Courage se déchaînent. On les a voulus les loulous, on les a désirés, et eux, ils n'ont rien demandé. Il faut relever la tête, assumer et assurer.

Elle répond à Magic_mum : « Qu'est-ce qu'on ferait sans eux ? Tout ce qu'on faisait avant, voyons ! Travailler, se préparer une retraite à peu près digne, dormir sept heures d'affilée, retrouver une vie sociale, faire du sport, aller au cinéma, lire et bien sûr, rêver… rêver n'est-elle pas la chose la plus agréable au monde ? »

La sanction est immédiate. Magic_mum est furieuse. Manifestement on a affaire à un troll, une personne qui se laisse aller, qui s'écoute et, surtout, une maman d'un égoïsme incroyable, car comment peut-on préférer rêver plutôt que se dévouer à la chair de sa chair ? A-t-on perdu le sens des réalités ? Et pense-t-on seulement à la chance qu'on a d'avoir un enfant en bonne santé ? Alors que tant de femmes n'arrivent pas à féconder, ni même à adopter ?

Elle ouvre sa boîte mail. Des spams de Vertbaudet et King Jouet, qu'elle supprime aussitôt. Un message d'un client. Peut-elle apporter quelques modifications à la maquette du projet ? Il faudrait revoir la charte graphique et la mise en page. Il a également besoin d'une proposition alternative pour sa quatrième de couverture. Les quelques retouches dont parle le client vont lui demander plusieurs heures de travail. Mais pas question de négocier une rallonge financière comme elle l'aurait encore exigé il y a quelques années. Si elle perd ce contrat, elle n'a plus rien. Et pas de temps pour démarcher. Le milieu du graphisme est saturé. Ceux qui se sont spécialisés dans le web s'en sortent un peu mieux que ceux formés à l'édition, comme elle.

Elle relit pour la énième fois le résumé du livre à mettre en page : une histoire de trafic d'armes, de drogue et de mafia, l'action a lieu en Albanie dans les années 90.

Elle étire ses jambes sous la table de cuisine qui lui sert de bureau. Se relève pour brancher la bouilloire.

Elle est loin, l'époque où on lui proposait mille cinq cents euros par titre. Le forfait est maintenant à sept cents euros et plus elle passe de temps sur un projet, moins c'est rentable. Une fois les charges payées, il lui reste trois cents, trois cent cinquante euros. Sans congés payés ni droits au chômage.

Free-lance. Un choix pour beaucoup il y a quelques années. Pas pour elle. Avec son ancienneté, les quelques agences qui embauchent encore lui préfèrent des salariés moins qualifiés, qui leur coûtent bien moins cher.

Elle a eu son quart d'heure de gloire pourtant. Il y a quinze ans, à sa sortie des Arts déco. Elle avait un style, une griffe parfaitement reconnaissable. Elle a travaillé pour de grosses agences, signé des campagnes de son nom.

Pendant quelques heures, le silence règne dans l'appartement, elle est seule avec ses couleurs, ses pinceaux, elle compose un logo sur Illustrator, reprend une maquette sur InDesign.

Attendre le matin pour renvoyer les projets au client, jamais en pleine nuit, ça ne fait pas pro. Une partie d'elle-même est soulagée à l'idée du travail effectué, l'autre, plus inquiète, essaie de ne pas penser aux contrats qu'elle perd, au retard qu'elle accumule à tous les niveaux, à la fatigue à laquelle il faudra faire face, dans une heure ou deux, quand le petit se réveillera.

Et même quand il dort, elle croit l'entendre, une plainte, une clameur, un ordre.

5

Elle s'était adressée au service Petite enfance de la mairie, mais il n'y avait aucune place en crèche. À peine dix pour cent de places dans cette ville au vu du nombre exponentiel de naissances, à croire que tous les Parisiens descendaient pondre au soleil, avait finement observé l'employée. D'autres femmes, bien plus prévoyantes, s'y étaient prises des mois avant l'arrivée de l'enfant, dès sa conception !

Elle, elle débarquait d'on ne sait où, et surtout : elle n'était pas salariée.

Elle avait insisté, elle avait pourtant fait sa première demande il y a plus d'un an. Elle était seule, n'avait pas de famille ici, aucun mode de garde. Comment pouvait-elle continuer à travailler dans ces conditions ?

Oh, quand on était débrouillarde, un enfant, ça ne coûtait pas si cher ! Il suffisait de préparer les repas soi-même, d'éviter les plats industriels, trop gras, trop chers. Et puis, elle avait désormais tout le loisir de faire le marché, trouver des produits frais, courir les vide-greniers, les Emmaüs. On y trouvait des vêtements pour rien en fouinant un peu, des petites doudounes, des pantalons adorables et même des bottes, l'employée y avait déniché ce week-end une paire de chaussures fourrées pour sa petite dernière, à peine cinq euros.

Elle avait acquiescé, oui, bien sûr, elle ne voyait rien à redire sur l'importance du frais et du marché, le bien-fondé des vide-greniers, mais elle avait tout de même un métier, un CV, elle ne pouvait pas végéter plus longtemps dans cette situation...

Vous avez bien déclaré que vous n'étiez pas salariée ? avait répété l'employée.

Elle travaillait à son compte. Avec un besoin urgent de relancer ses anciens clients, d'en démarcher de nouveaux... Elle ne pouvait plus tenir ce rythme, il lui fallait cette place en crèche, même un jour ou deux par semaine, l'employée voulait-elle bien comprendre qu'elle était sans filet ? Elle avait répété plusieurs fois, d'abord bien distinctement puis d'une voix plus éteinte, « sans filet ».

Elle s'était redressée. N'avaient-ils pas besoin d'un graphiste dans cette mairie ? Elle avait des références, ses anciens employeurs pourraient témoigner.

Qu'elle se calme ! Il n'y avait aucune raison de s'exciter. Beaucoup de femmes étaient dans sa situation, l'employée ne voyait que ça, à longueur de journée, des mères célibataires tout aussi plaintives, usées, et usantes. Sa demande n'avait rien d'original, rien de prioritaire, qu'elle rentre à la maison avec son petit, qu'elle en profite surtout, ça passait si vite !

On lui remit des brochures de la Caisse d'allocations familiales, on lui assura qu'elle avait des droits, qu'il y avait des aides, peut-être le minimum d'insertion, c'était toujours bon à prendre. Et pourquoi ce loyer insensé ? 60 mètres carrés ? Il fallait au plus vite quitter cet appartement pour un autre plus adapté, un deux-pièces, qu'elle s'achète un clic-clac, à deux on n'avait nul besoin de deux chambres. Qu'elle fasse une demande de logement social, qu'elle s'adapte à sa nouvelle vie de maman. On lui donna des listes, des dépliants avec des noms d'associations, des lieux où elle pourrait rencontrer d'autres parents dans son cas.

À chaque nouvelle démarche, il fallait se justifier, détailler sa situation. Des femmes derrière un bureau ou au téléphone questionnaient, perçaient leur intimité. Elle donnait le change, répondait, essayait de formuler le chaos. Quand on avait enfin fait le tour du problème, de leur vie, on lui procurait d'autres numéros, d'autres adresses où se rendre, à l'autre bout de la ville, en bus, en tramway, flanquée du petit, et où recommencer depuis le début les mêmes interrogatoires, les mêmes histoires.

L'enfant assistait à ces scènes, sentait la tension monter, les larmes prêtes à jaillir au détour d'une phrase, le découragement, il contemplait le grand déballage. Elle avait honte, honte pour lui, honte pour eux, pour cet album de famille jeté en pâture, et dont tout le monde semblait réclamer un échantillon, un polaroid.

6

Sur sa page internet, elle écrit : LAISSER BÉBÉ
SEUL + SORTIR. Clique sur une discussion ouverte
par Titouette.

Titouette

Voilà, chui sportive de haut niveau (j'ai fait de la compé-
tition pendant 10 ans), mais depuis la naissance de BB2,
je n'arrive plus à rien. Même courir, ou juste aller en salle,
je trouve plus le temps. Résultat, j'ai pris 10 kilos ☹. Chui
en congé parental donc 100 % à la maison avec les deux
loulous. Je pourrais aller courir le soir quand mon zhomme
rentre du boulot, mais faut dire qu'à 20h j'ai zéro courage
pour ressortir ! La petite fait encore de très longues siestes
et son frère va à la crèche. Du coup, je me disais que je
pourrais peut-être profiter des siestes pour aller faire mon
jogging, 15 ou 20 mns max. Elle n'a que 5 mois, elle dort
kom une bûche, minimum 1h 30-2 heures, aucun risque
qu'elle se réveille. Est-ce que vous l'avez déjà fait ? Pour
aller faire une course ou autre chose ?

HelloKitty

Vous êtes totalement inconsciente Titouette. Et pourquoi tant que vous y êtes ne pas aller au resto le soir quand elle dort ? Une petite sortie en boîte, un ciné ?

C'est vrai ça, que pouvait-il arriver à la petite Maddie, qui dormait tranquillement dans son bungalow de vacances, pendant que ses parents dînaient au resto ?

Profil supprimé

Ta fille pourrait s'étouffer avec son vomi, se réveiller, pleurer tellement fort qu'elle en attrape des convulsions. Ou alors un incendie, un voleur, un pédophile... Il y a aussi ce petit garçon de 4-5 ans, en Belgique. Les parents se disputent en pleine nuit, ils sortent pour s'engueuler plus loin, quand ils reviennent, le gamin a disparu. Quelques jours plus tard, on le retrouve noyé dans la rivière toute proche...

Anastasia

Tout à fait d'accord avec toi, HelloKitty...

Moi, même pour descendre au vide-ordures ou au courrier, j'embarque la petite dans la poussette, on n'est jamais trop prudent... Déjà quand on est présent, il peut se passer plein de trucs, alors bon...

Pitchoune22

Le plus grave, c'est qu'on laisse ce genre de nanas être mères...

J'en ai connu une comme ça, quand elle sortait en boîte, elle enfermait ses enfants dans leur chambre et le tour était joué... Pourtant elle était infirmière, donc pas complètement conne.

HelloKitty

C'est pas parce que t'es infirmière que t'es plus intelligente que les autres, la preuve !

Ce qui m'a le plus choquée dans le message de Titouette, c'est « pour faire un jogging », pour du loisir, quoi !

Je n'ai pas encore d'enfant mais le cœur qui s'emballe rien qu'à imaginer que je puisse laisser un enfant dans son petit lit pendant que j'irais faire du sport. Je ne comprends pas les nouvelles mères ! À peine leurs bébés sont-ils nés qu'elles ne pensent qu'à retrouver leur liberté, du temps pour elles, elles se demandent quand est-ce que leurs petits vont faire leurs nuits, arrêter de pleurer… On a dû leur mentir sur la maternité, c'est pas possible, qu'est-ce qu'elles s'imaginaient ?

7

Ce n'était pas un appartement, c'était une planque. Elle s'y cachait depuis deux ans déjà. Deux ans dont les journées étaient consacrées à l'enfant, au corps de l'enfant, à son bien-être. Deux ans en vase clos. Ils ne sortaient que pour s'aérer, au parc de la Tête-d'Or, qui était comme un appendice de l'appartement. Ou au Monoprix. Exceptionnellement au Café du Parc, dont la terrasse faisait l'angle entre deux boulevards à la circulation chargée aux heures de pointe. Café, parc, supermarché, c'étaient là toutes leurs mondanités. Elle prenait un expresso, l'enfant, un jus de pomme ou une grenadine, le temps passait comme ça, à siroter des jus, à patienter sur le banc d'un square qu'il ait grimpé assez d'échelles, descendu assez de toboggans, se soit balancé sur suffisamment de balançoires.

Au feu, alors qu'ils attendaient que le bonhomme passe au vert, c'est bon, on peut traverser, l'enfant s'accrochait aux pantalons des passants. « Papa, Papa ! » faisait-il en tirant sur leurs jambes, leurs manteaux, tout ce qui lui rappelait son père. Les hommes faisaient mine de ne pas comprendre et poursuivaient leur trajet. Elle se penchait vers l'enfant, ce n'était pas ton papa, c'était un autre monsieur ! Et le petit se taisait.

Le matin, ils étaient les premiers au marché. À l'heure où la plupart des gens dormaient encore, ils trottaient autour des commerçants, les admiraient montant leurs auvents, installant leurs étals, s'invectivant allègrement, tapant les mains l'une contre l'autre, allumant des cigarettes qui s'éteignaient aussitôt. Vers huit heures, il semblait raisonnable de s'approcher et d'alpaguer ce petit monde, un kilo de carottes s'il vous plaît, sans les fanes, merci. Des pommes aussi, des œufs, à combien faites-vous les pots de confiture ? On ouvrait la caisse pour eux, on lançait la machine, on rendait la première monnaie, la journée pouvait commencer.

Comment avait-elle pu penser que le parc fût autre chose qu'un endroit où mourir à petit feu ?

C'étaient les éternels canards, après l'allée centrale bordée de plates-bandes, le pain sec qu'on avait oublié, on cherchait à la hâte des miettes de biscuits, de pain au chocolat au fond des sacs. Puis les bassins poissonneux, l'ours qui tournait sans fin dans son enclos, l'œil hagard, à demi fou. Ces promenades les sortaient du tête-à-tête permanent, du confinement de l'appartement. Ils marchaient, marchaient, il y avait encore les manèges, les crocodiles pétrifiés, le défilé des flamants roses, les girafes inaccessibles. Et puis la pêche aux canards, les jouets convoités qu'on gagnait à prix d'or, qu'on cassait presque aussi vite, les épées de chevalier qui se pliaient en deux, les ballons en forme de Mickey qui se dégonflaient, les pistolets qui se disloquaient, s'évanouissaient dans les poubelles du parc. Parfois, on allait jusqu'aux poneys, on prenait son ticket, on attendait son tour, et la balade durait quelques minutes, pendant lesquelles l'enfant était pris en charge. Elle s'asseyait sur un tronc d'arbre, consultait son portable et sa messagerie, constatant que le monde n'avait nul besoin d'elle pour continuer de tourner.

Mais le petit arrivait déjà, elle le photographiait, souriant sur son poney, pour lui, pour plus tard, lui fabriquer des souvenirs, un jeudi au parc avec maman, un témoignage, une preuve, ça avait existé.

Quand il montrait des signes de fatigue, elle pensait alors à rentrer, mais elle n'avait pas été assez prévoyante, il hurlait de faim, de lassitude, ou alors il ne voulait pas faire demi-tour, il se sauvait, elle le coursait avec la poussette, espérant qu'il ne tomberait pas, ne disparaîtrait pas, ne glisserait pas dans l'étang aux canards, ne se ferait pas renverser par un vélo, une trottinette, mordre par un molosse, enlever par un maniaque... Quand elle le rattrapait enfin, elle le tenait fermement, il se débattait, elle s'agenouillait, lui expliquait qu'on reviendrait, qu'il fallait rentrer manger, retrouver ses jouets à la maison, est-ce qu'il n'avait pas envie de pâtes à la tomate, d'un bon steak haché? Il redoublait de fureur, trépignait, hurlait à nouveau, aucune de ces promesses n'égalait le plaisir immédiat de courir au milieu des futaies, de sauter par-dessus les bosquets, de ramasser de nouveaux bâtons, de nouvelles plumes, d'autres cailloux... Elle devenait l'ennemie, l'empêcheuse de jouer en rond et il ne se gênait pas pour le lui faire savoir, il se défoulait à coups de pied dans ses jambes, il la repoussait, il hurlait. Autour d'eux des gens faisaient semblant de ne rien voir, c'était une scène de parc comme tant d'autres, les enfants ne voulaient quitter ni les jeux ni les animaux, exerçaient leur empire sur leurs parents jusqu'au dernier moment. Elle avait eu tort de ne pas rentrer plus tôt, de ne pas avoir anticipé, elle se sentait nulle, impuissante, elle était en colère contre l'enfant, contre elle-même. À bout de patience, elle enfonçait ses ongles dans les petits bras, pas très fort non, juste assez pour qu'il sente sa volonté, qu'il plie sous le joug, qu'il avoue sa défaite. Peine perdue, il redoublait de cris, de pleurs, de coups de pied, et ils se retrouvaient tous les deux à se battre, la mère, le fils, jusqu'à ce qu'elle parvienne par un ultime coup de force à le fixer dans la poussette, passer les bras dans les bretelles, réunir les deux parties métalliques de la ceinture et les faire enfin glisser dans le harnais de sécurité jusqu'à entendre le clic salvateur. L'enfant avait beau se démener, s'enrager, c'en était fini, la machine était lancée. Elle s'agrippait aux anses caoutchouteuses de l'engin et fonçait, fonçait, blême, les traits tendus. Jusqu'à ce que l'enfant, enivré par la vitesse et la succession des paysages qu'on refaisait à l'envers, manèges, girafes, crocodiles, ours, canards, allée centrale, se calme enfin. Il s'endormait parfois et elle maugréait, elle préférait qu'il attende d'être rentré pour s'assoupir, ça lui laissait quelques heures pour travailler, un peu de temps gagné sur son sommeil. Et puis il allait se décaler, il ne ferait plus la sieste de l'après-midi et elle était bonne pour une journée continue, avec un enfant fatigué et fatigant, elle n'en voyait pas le bout.

Ces promenades les laissaient hagards, défaits, le plaisir de la sortie était gâché, il fallait traverser quelques rues encore, puis le grand hall de la résidence et ses mosaïques au sol, se jeter dans l'ascenseur et regagner leur dernier étage, leur huis clos, leur petit enfer quotidien.

8

L'enfant dort enfin.

Elle s'est relevée le plus lentement possible, décomposant chacun de ses mouvements, que le plancher ne craque pas, que la porte ne grince pas, que le petit ne surprenne pas son manège.

Éviter l'ascenseur, trop bruyant.

Sa silhouette de fuyarde dans le miroir du hall.

Des commerces sont restés ouverts, dont des étudiants sortent les bras chargés de bouteilles, de sachets de chips. Elle longe les terrasses des bars et des restaurants. Japonais. Indien. Grec. Italien.

Des tables de rires et de copains. Des tables d'amoureux.

Attroupement devant un bar musical. Des rythmes de batterie s'en échappent chaque fois que quelqu'un ouvre la porte. Entrée libre. Concert chaque jeudi.

Elle coupe la file de spectateurs devant le cinéma de quartier, survole les synopsis des films derrière la vitre. Rétrospective George Cukor. On repasse *My fair lady*. Sur l'affiche, Audrey Hepburn sourit, radieuse sous son gigantesque chapeau à rubans.

Elle pénètre dans le hall. Des étudiants hésitent entre plusieurs films. Elle leur conseillerait bien le Depardon.

Odeur de sucre, de pop-corn.

Salle 2, messieurs dames, la séance va commencer. Salle 3, je vous laisse encore patienter quelques minutes.

Derrière son comptoir, le caissier l'interpelle « Bonsoir madame, c'est pour quel film ? »

Au carrefour, un automobiliste pianote sur le skaï de son volant. Toquer à la fenêtre. Vous allez où ? Vous m'emmenez ? Oh et puis ça suffit, haut les mains, c'est un hold-up, filez-moi vos clés. Vous avez le plein d'essence au moins ?

Au loin, la tour que les Lyonnais appellent le Crayon, le bâtiment resté le plus haut de la ville pendant des décennies avant qu'un autre ne le dépasse, la Gomme.

L'alarme de son téléphone vibre dans sa poche. On avait dit vingt minutes. Il est temps de rentrer.

La bouche de métro par laquelle la foule s'évapore.

9

Elle n'avait qu'un seul jeu de clés pour le logement qu'ils occupaient. Le père de l'enfant en avait gardé le double. Qu'est-ce que cela signifiait ? Était-il susceptible de réapparaître à tout instant ? Pouvait-il débarquer un soir à l'heure du dîner avec une bouteille de rosé, comme s'il était invité dans son propre appartement ? Ou avec un sac chargé de courses, pousser la porte, les embrasser furtivement, l'enfant et elle, comme s'il les avait quittés la veille, remplir le frigo, tiens, j'ai pris des yaourts à la myrtille et du beurre, du demi-sel, comme tu aimes.

Il y avait tous ces vêtements, ces affaires qu'il avait laissées, une paire de tongs en cuir qui lui servait de pantoufles, elle ne pouvait pas voir ces chaussures sans le voir lui aussi, tel un hologramme, déambuler avec son peignoir débraillé et ses cigarettes du matin, dehors la fumée s'il te plaît, c'est mieux pour le petit, mais oui, mais oui, il haussait les épaules et passait un temps infini dehors, sur l'avancée en zinc qui faisait office de balcon, à fumer et à regarder dans le vide, à penser peut-être à comment il allait bientôt les planter, à élaborer déjà des plans d'évasion. Il n'avait emporté que très peu d'effets, le minimum à vrai dire, sa trousse de toilette et quelques vêtements, comme s'il était parti en week-end ou en voyage d'affaires – sans affaires.

Le petit jouait avec les tongs, y enfilait ses mains minuscules et les faisait glisser longuement sur le parquet, comme s'il reproduisait les allers-retours incessants de son père dans l'appartement, il manipulait les chaussures, leur parlait, semblait les interroger, qu'était-il advenu des pieds et des jambes qui étaient comme la continuité naturelle de ces pantoufles, où était passé le reste du corps ?

Au début cela l'avait rassurée, savoir qu'il pouvait ouvrir la porte à tout moment, reprendre leur vie là où il l'avait laissée, et espérer qu'en gardant ces clés, il n'avait pas tout à fait renoncé à son foyer. Elle l'imaginait quelque part, loin, dans une autre ville, à l'étranger peut-être, mais serrant dans les poches de son jean le jeu de clés.

C'était un gage de son retour, la preuve d'une disparition qui ne serait que temporaire, puisque ses clés, s'il les conservait, c'était bien sûr pour s'en servir à nouveau un jour.

Un soir, au moment du dîner, l'enfant et elle avaient entendu la porte d'entrée vibrer, comme un léger chuintement, une secousse, quelqu'un se tenait là, et, manifestement, cherchait à s'introduire. Ils étaient en train de finir le dessert, ils étaient restés interdits, tous les deux. Elle s'était approchée et avait regardé à travers le judas, elle décelait une présence, opaque, mais trop proche pour distinguer quoi que ce soit. Elle ouvrit la porte brutalement, et la concierge lui fit face. Elle s'excusa en portugais, elle était armée d'un chiffon et lui désigna les parties de ferronnerie autour de la poignée et de la serrure. L'enfant était déjà entre les jambes de sa mère, interrogeant aussi la présence de la concierge à cette heure si tardive, présence à la fois rassurante et déroutante, ils attendaient quelqu'un d'autre, bien sûr, mais l'attendaient-ils encore vraiment ?

Puis ç'avait été la colère, pourquoi le père de l'enfant ne restituait-il pas les clés d'un logement dont il ne payait plus le loyer depuis des mois ? Se croyait-il encore chez lui ? Pensait-il qu'on pouvait entrer et surtout sortir d'ici comme dans un moulin ? Que rien ne pouvait changer en son absence, qu'ils n'avaient pas une vie eux aussi ?

La colère avait laissé place à la peur. Cela faisait des mois, oui un an, puis un an et demi, n'était-il pas devenu fou, clochardisé, drogué, n'avait-il pas fait de mauvaises rencontres, n'était-il pas quelqu'un de différent, d'inquiétant, un autre homme, un étranger, qu'est-ce que ces mois avaient fait de lui et, à présent, pouvait-on encore lui faire confiance ? À moins qu'on ne lui ait dérobé son portefeuille et ses clés par la même occasion, à moins que tout cela n'ait fini par tomber entre les mains d'un inconnu, une personne malveillante qui guettait le moment propice pour violer leur domicile ?

Il fallait régler cette histoire de clés, car après tout, les clés appartenaient à ceux qui les utilisaient, comme les enfants appartenaient à ceux qui s'en occupaient, et depuis tout ce temps elle pouvait elle aussi décider quelque chose. Par exemple, décréter que son appartement n'était pas un squat ouvert aux quatre vents, un lieu public, un hôtel qu'on quittait et où l'on revenait comme bon nous semblait, sans égard pour ceux qui y résidaient.

Elle avait encore ce pouvoir-là, celui de choisir que sa clé à lui désormais n'ouvrirait plus aucune porte.

Il lui restait ce seul, ce petit, ce mesquin pouvoir, celui de changer la serrure.

Elle avait appelé un serrurier pour demander un devis. C'était un verrou cinq points, une porte blindée, le remplacement coûterait l'équivalent d'un loyer ; il fallait donc vivre comme cela désormais, ou déménager.

IO

Le sol du square est brun, souple, caoutchou-
teux comme une piste de course sur un stade
olympique. Ici, les athlètes sont les enfants et les
parents jouent aux entraîneurs. Grimpe, grimpe.
Saute. Escalade. Glisse. Bravo. Ma chérie. Mon
amour. Mon chouchou.

Au square, les mères peuvent s'empoigner
pour une priorité refusée sur un toboggan ou un
tourniquet, un enfant qui en a poussé un autre.
Le square, c'est la cour de récré en accéléré. Certains parents s'y retrouvent, s'y regroupent. Leurs
enfants fréquentent la même crèche, sont dans
la même école, ils forment des grappes autour des
bancs. Ils papotent. La maîtresse est sympa cette
année. Ah bon, vous trouvez? Mieux que l'an
dernier, la petite l'adore. Il paraît qu'il y aura une
sortie, je me proposerais bien pour les accompa-
gner. C'est toujours les mêmes parents qui se
dévouent. Ils pourraient se mettre au bio à la
cantine.

Le petit s'est installé avec d'autres dans le train.

C'est une structure en panneaux de bois multicolores, avec une table et deux bancs minuscules à l'intérieur, un adulte peine à y pénétrer. Le rire du petit se mêle à celui des autres enfants. Il adore par-dessus tout la compagnie, il est sociable, gai, elle se demande de qui il tient ça.

Son smartphone vibre. Elle fouille son sac, vite. C'est Thierry, le directeur artistique d'une agence qui la fait encore travailler de temps en temps. Elle prend l'appel. « T'as besoin de bosser, oui ou non ? Le client n'a toujours rien reçu ! On va devoir décaler la sortie ! »

Il enchaîne, « Tu sais comment ça se passe chez la concurrence ? T'es correctement payée il me semble ! T'es pas la seule à avoir un môme ! La Terre s'arrête pas de tourner tout de même ! Je veux la couv du Jérôme Chatelain ce soir, et le guide sur l'art du sushi pour lundi. Sinon je mets quelqu'un d'autre sur le coup. Il faut impérativement que tu puisses assister à la réunion de janvier, prends une baby-sitter, fais comme tout le monde, organise-toi ! »

Elle devrait rentrer tout de suite. Mettre le petit devant un dessin animé jusqu'à l'heure du dîner. Mais il n'y a plus rien au frigo, il faudra repasser par la supérette. Prendre des pommes de terre et du fromage, du lait aussi. Des yaourts. Éviter le rayon sucreries. Et faire diversion à la caisse. Que l'enfant ne fasse pas de crise comme la dernière fois. Qu'il ne brandisse pas un paquet de cochonneries en hurlant. Qu'il ne se roule pas par terre.

Qu'elle ne ressorte pas du magasin en nage, rouge, confuse, sous les sifflets imaginaires des clients. Encore un enfant roi, encore une mère célibataire qui ne gère rien, une pauvre conne.

Le petit est en haut du toboggan, il la cherche des yeux.

Elle n'a même pas besoin de faire le calcul. Une baby-sitter, c'est dix euros de l'heure. Pour se déplacer à l'agence, à Paris, ça lui fait cent euros minimum. Le peu d'argent qu'elle arrive à entrer passe en totalité dans le loyer, les courses, les factures.

Un bruit mat sur le sol élastique, des cris.

— C'est à qui? C'est à qui ce gosse, où sont les parents?

Le chœur des mères a fondu sur le toboggan.

Elle lâche ses affaires, accourt.

Le petit est à terre, sonné. Il fond en larmes lorsqu'il la voit arriver. Tu as mal? Montre-moi! Tu as mal où?

Des voix s'élèvent:

— C'est qu'il est tombé de l'échelle, le gosse...

— Ça fait haut tout de même...

— J'espère qu'il n'a rien à la tête, un traumatisme crânien, c'est vite arrivé.

— Voilà ce qui arrive quand on les surveille pas.

— Toutes sur leur smartphone maintenant...

Récupérer ses affaires près du banc et traverser le square dignement.

L'enfant sur l'épaule gauche, la poussette à bout de bras droit. Actionner l'engin comme une voiture bélier. Et enfoncer le portillon de sortie.

II

À droite, à gauche, elle emprunte des axes qu'elle ne connaît pas.

Se faufile entre les voitures, évite les passages piétons, les zones trop éclairées.

Bouscule un couple. La femme rit bruyamment.

Elle baisse la tête et repart en courant. Se perdre, se cogner aux murs de la ville, à ses aspérités.

Le banc de l'écailler devant une brasserie. Les bourriches d'huîtres, les coquillages. Quenelles nature. Saucisson chaud. Carpaccio frites. Salades gastronomiques.

Le petit a repoussé son assiette de riz ce soir. Même avec du ketchup, ça n'est pas passé. Une bouchée pour Maman, une pour Papa... Ça va pas la tête, a hurlé le petit. C'est son expression préférée depuis quelques jours.

Irish Bar. Guinness Extra Stout. Old Irish. Whiskies. Wine & Spirits.

Dans le pub, des voix d'hommes, des rires de femmes.

Dans la devanture d'un coiffeur, un visage lisse, si lisse. Baby face. Iris clairs et lèvres brillantes. Savant coiffé-décoiffé. Dans la vitre, son reflet vient se fondre dans les traits du mannequin. Sa peau rougie par le froid. Ses pauvres cheveux. Des années qu'un coiffeur n'y a touché. Quand elle y retournera, le coiffeur considérera le tout avec dédain. Encore une qui ne prend pas soin d'elle. Encore une qui se laisse aller. Le coiffeur essaiera d'arranger les choses. De mettre un peu de tenue dans cette tignasse. Elle le remerciera, abondamment. Elle le remerciera, même si elle n'est pas ravie du résultat. Deux ans que personne ne l'a touchée. Hormis l'enfant.

Plus loin, des clochards s'organisent pour la nuit. L'un d'eux s'approche. «Mademoiselle, mademoiselle. Mademoiselle, je vous ai parlé!» Elle se retourne. L'homme grimace. «T'es bonne.» Elle hausse les épaules. Le type répète, «T'es bonne, je t'assure, t'es super bonne.»

Le type la laisse passer. Pas un coriace, heureusement.

Son smartphone vibre dans sa poche, presque une heure déjà, il est temps de rentrer.

Une rue, puis une autre, un boulevard.

Un rat s'évanouit sous une voiture, était-ce vraiment un rat?

Les bus filent dans la nuit.

Le square paraît si minuscule à cette heure, inoffensif. Les jeux comme autant de natures mortes. Des adolescents d'une quinzaine d'années ont investi les bancs, les fesses directement sur les dossiers, leurs semelles de baskets arrimées là où, quelques heures plus tôt, les mères de famille posaient délicatement leurs pantalons clairs. Au sol, des canettes ont remplacé les cartables et les goûters d'enfants.

Et l'enfant?
Il dort, il dort.
Que peut-il faire d'autre?

12

Je suis confuse, tout à fait confuse. J'ai fait ce que j'ai pu mais ma direction refuse de fermer les yeux sur ce nouveau découvert. La jeune femme derrière son ordinateur soupira. Plusieurs chèques avaient été bloqués, des chèques qui avaient pourtant été signés de sa main, et dans ces conditions on ne pouvait lui accorder un nouveau prêt. Se rendait-elle compte qu'elle frôlait le surendettement?

Je vais sans doute vous paraître indiscrète, poursuivit l'employée, avez-vous entamé des démarches envers votre ex-conjoint? J'insiste, fit la conseillère, car le père de l'enfant devrait vous aider, enfin, dans votre situation, vous pourriez demander une pension alimentaire. Avez-vous consulté un avocat? J'en connais une très efficace, elle m'a assistée pour mon divorce, appelez-la de ma part! Et pendant que la conseillère recopiait des chiffres sur sa carte de visite, elle se demanda combien de temps elle pourrait encore retirer de l'argent, et quoi faire lorsque son compte serait définitivement bloqué. La jeune femme la raccompagna jusqu'au sas d'entrée, on passait toutes par des moments difficiles, elle, elle avait quitté son mari pour des problèmes d'alcool, elle allait mieux, et ne pouvait que lui conseiller d'aller voir cette avocate au plus vite... Il faut juste avoir envie, lui dit-elle, avoir envie. De quoi, elle ne sut jamais. Mais le distributeur accepta de lui délivrer soixante euros, que, dans sa fièvre, elle faillit oublier de retirer.

13

Sur internet, elle entre : SOLO + ARGENT. Ouvre le premier lien.

Comment faire des économies quand on est seule à payer pour toute la tribu ? Un vrai challenge pour les solos puisque aucune aide n'existe pour le moment. De la chasse au gaspi en passant par le système D, voici quelques bons plans pour éviter de vous retrouver dans le rouge à la fin du mois !

— Votre banquier est votre meilleur allié : placements, crédits, comptes courants, prenez rendez-vous et n'hésitez pas à en parler ensemble !
— Afin de réduire vos factures, essayez de renégocier vos contrats : eau, électricité, gaz, téléphone et internet, revoyez tout à la baisse !
— Listez les aides auxquelles vous avez droit : allocations familiales, logement social, pension alimentaire… De nombreux organismes comme les Restos du cœur proposent même des repas !
— Il n'y a pas de petites économies : remplacez vos

ampoules énergivores par des basse consommation ou des leds, faites changer vos fenêtres pour des doubles vitrages et préférez les douches aux bains, c'est bon pour votre porte-monnaie comme pour la planète !

— Achetez futé. Allez plutôt dans les hypermarchés qui pratiquent en permanence des prix bas et font des promos toute l'année. Ne jetez pas les coupons de réduction qui, à la fin du mois, font une vraie différence. Pensez aux cartes de fidélité des commerçants, toujours avantageuses ! Vous profiterez de remises, de bons cadeaux, et même parfois de la livraison gratuite : pourquoi s'en priver ?

— Sur votre calendrier, marquez d'une pierre blanche les premiers jours des soldes d'hiver et d'été. Une manière de refaire sa garde-robe et celle de junior à moindre coût.

— Pour les baby-sittings : organisez-vous ! Ne refusez pas l'aide d'une amie, d'une voisine. Sachez vous entourer. Faites jouer la solidarité entre parents célibataires ; une fois c'est vous qui amenez les enfants à la gym, la semaine suivante c'est la maman du petit copain.

— Et surtout, abandonnez l'idée d'être un parent parfait, après tout, personne ne vous fera remarquer que vos torchons sont froissés, ni que votre vernis à ongles commence à s'écailler !

— Et en toute situation, gardez le sens de l'humour !

Elle regarda ses ongles rongés. Claqua rageusement le clapet de son ordinateur portable, elle devait manquer d'humour.

Il y avait bien cette voisine qu'elle croisait souvent dans l'ascenseur, et dont le fils avait le même âge que le sien. À plusieurs reprises, elle avait tenté de nouer la conversation, le petit faisait-il ses nuits, était-il propre, irait-il à l'école l'an prochain ? Pendant que les deux enfants se regardaient en chiens de faïence dans leurs poussettes respectives, la voisine répondait laconiquement, oui, non, oui. Une fois, la voisine lui avait demandé où était passé le monsieur si gentil qui vivait avec elle. Le père de l'enfant ? Elle avait haussé les épaules et répondu qu'il ne vivait plus ici.

Et cette fois où elle s'était jetée à l'eau, avait tenté le tout pour le tout. Elle avait proposé à la voisine de passer prendre le café chez elle, les enfants pourraient jouer ensemble, on vivait sur le même palier après tout... Elle avait joint le geste à la parole et ouvert grande sa porte à la voisine qui avait fait volte-face, « C'est impossible ! Nous ne fréquentons personne ! »

Manifestement, elle l'avait heurtée, ce n'était pas le genre de proposition qui se faisait ici, ce n'était pas dans les habitudes, elle avait enfreint les règles de l'immeuble et de la bienséance la plus élémentaire. La voisine était mariée avec un agent de police. La mère de la voisine vivait à proximité et passait régulièrement s'occuper de son fils, le conduire au square, le faire goûter. La voisine était suffisamment entourée, pourquoi irait-elle s'encombrer d'une femme seule, qui la jalousait sans doute ? Qui avait peut-être déjà des vues sur son fonctionnaire de mari !

Non, décidément, la voisine avait bien fait de détaler, elle avait tout de suite senti qu'elle avait affaire à une personne à problèmes, et les problèmes, en personne avisée, la voisine s'en tenait éloignée.

Elle s'inscrivit sur un site dédié aux solos de sa région. On l'invita à un pique-nique. En fait de parents solos, il y avait essentiellement des mamans solos, mais qu'importe, elle était motivée, le rendez-vous était au parc de la Tête-d'Or, à deux pas de chez elle. Entre les girafes et l'ours. Pour un premier pique-nique, il était conseillé de venir sans enfant, l'objectif étant de discuter, d'échanger à propos de « nos petits soucis de solos ». À la dernière minute, elle renonça. Si elle avait eu le temps, elle aurait passé sa soirée au cinéma, ou à marcher seule dans la ville, sûrement pas dans ce parc où elle restait déjà le plus clair de ses journées. Où on allait finir par la confondre avec l'ours tournant dans son enclos, inepte.

Monsieur Seguin n'avait jamais eu de bonheur avec ses chèvres. Il les perdait toutes de la même façon : un beau matin, elles cassaient leur corde, s'en allaient dans la montagne, et là-haut le loup les mangeait. Ni les caresses de leur maître, ni la peur du loup, rien ne les retenait.

— Et le loup ? Il est où le loup ?

— Écoute, il arrive après, le loup, là c'est le début, tu vas voir…

— Je veux le loup, le loup !

Elle cherche la page que l'enfant préfère. L'image est censée représenter le loup se jetant sur la chèvre. Mais l'enfant a collé tant de gommettes sur la tête du canidé qu'il a disparu. Seule la chèvre subsiste, qui dévisage le lecteur d'un air ahuri.

— C'est pas malin d'avoir abîmé ton livre.

— J'ai pas abîmé, j'ai tué le loup.

— Ne rêve pas trop du loup, c'est juste une histoire !

— Le roi Dag, je veux le roi Dag !

— Il est tard mon amour, on la chantera demain !

— Celui qu'a mis sa culotte par terre !

— T'es sûr ?

— Le roi qu'a fait caca et pipi par terre, et qu'a cassé tous les verres !

— C'est tout ?

— Non, il a aussi mis maman à l'envers.

Il fallait se déplacer à Paris. Hors de question de solliciter la voisine, la dernière fois qu'elle l'avait croisée, celle-ci avait à peine répondu à son bonjour. Elle s'était décidée à demander service à la concierge. Paloma pouvait-elle, un jour dans la semaine, garder son fils à l'appartement ? Paloma parlait peu le français mais elle ne manquait pas d'embrasser le petit chaque fois qu'elle les croisait dans le hall d'entrée, *A mamãe ! A mamãe !*, criait-elle en riant. Quand elle allait chercher quelque chose dans sa loge, le petit savait qu'il pouvait s'attendre à recevoir une friandise ou une barre de chocolat, la concierge se rendait souvent en Suisse, où elle avait de la famille, et revenait les sacs chargés d'emmenthal et de sucreries. Le petit battait des mains, il était devenu totalement addict au chocolat suisse, s'en mettait plein la bouche, les mains, le menton, qu'importe, cette barre de chocolat c'était de l'affection, c'était un lien qui s'instaurait entre la concierge et eux.

Elle se répéta la phrase qu'elle avait préparée en portugais, *Poderia, uma manhã, guardar o meu filho, Paloma?*

Elle entendit un bruit sourd dans le couloir, semblable à celui que faisait Paloma lorsqu'elle astiquait les poignées d'entrée ou lessivait les sols, elle ouvrit brusquement sa porte. Un homme en costume sombre lui faisait face.

Elle n'eut pas le temps de réagir, l'huissier était déjà dans l'appartement, et contemplait le salon envahi de jouets.

Le petit était dans son bain, ce n'était pas le moment. Elle savait qu'elle avait quelques factures en retard, qu'elle réglerait au plus vite, ne pouvait-il pas revenir plus tard, quand elle serait habillée par exemple, qu'elle pourrait le recevoir autrement qu'en chemise de nuit?

L'huissier posa sa mallette sur la table de la cuisine, à côté des restes de petit déjeuner et du biberon éclaboussé de lait. Il en sortit une liasse de papiers, lui montra où signer.

L'enfant la réclamait dans la salle de bains, elle signa et demanda à l'huissier de sortir. Il ne répondait pas, l'avait-il seulement regardée depuis qu'il était entré? Elle aurait été nue devant lui que ça n'aurait pas changé grand-chose. Les pleurs qui provenaient de la salle de bains ne semblaient pas non plus parvenir jusqu'à lui.

Elle quitta la pièce à reculons afin que l'huissier ne voie pas, par transparence et sous sa chemise, ses jambes et ses fesses. Elle enroula une serviette autour des épaules de l'enfant et le sortit de la baignoire.

— C'est qui, c'est qui, disait l'enfant.

— C'est rien, c'est un monsieur, il va bientôt partir.

Elle tapotait les cheveux trempés de son fils avec la serviette.

— Tu me fais mal, râla-t-il.

Quand ils ressortirent de la salle de bains, l'huissier s'était dirigé vers la chambre d'enfant et prenait des notes sur un carnet. Ils le suivirent quand il pénétra dans sa chambre à elle, s'approcha de l'ordinateur et du scanner pour en relever la marque et l'état de vétusté.

— C'est mon outil de travail, elle répéta, mon outil de travail et je suis free-lance.

— Ils disent tous ça, répliqua l'huissier.

Il avait parlé enfin, l'huissier était donc un être humain.

— Vous voulez un café ? lança-t-elle pour l'amadouer.

Il ne répondit pas. Son regard traversa l'enfant et elle, les transperça pour aller se perdre vers la fenêtre, buta sur le vis-à-vis de l'immeuble d'en face.

L'huissier fit volte-face, reprit sa mallette et ses papiers, disparut en laissant la porte grande ouverte.

Ils se précipitèrent pour le regarder dévaler les escaliers, avait-il seulement vu qu'il y avait un ascenseur ?

16

MÈRE SOLO + DISPARAÎTRE. Elle ouvre le fil de discussions créé par Beverly.

Beverly

J'ai une petite fille de 4 ans. Je me suis séparée de son père peu après la naissance. J'ai déjà deux autres enfants d'un premier père qui les voit de temps en temps, autant dire quand ça lui chante. Mais ma petite me pourrit la vie. Elle est insupportable et n'obéit jamais. Elle ne fait toujours pas ses nuits, se réveille vers trois heures et chouine jusqu'à ce que j'arrive dans sa chambre. Le matin, à cinq heures, elle réveille toute la maison par ses hurlements. On a été obligés de déménager car les voisins n'en pouvaient plus (on était en appartement). Elle enchaîne les crises, tape des pieds, se roule par terre. Autant vous dire que toute sortie est devenue impossible car ça tourne systématiquement au cauchemar : shopping, parc ou zoo, j'en reviens toujours vidée, découragée et totalement déprimée. Mes deux autres filles subissent aussi ce stress au quotidien, car la petite pompe toute mon énergie. J'ai complètement raté ma vie de mère, ça n'a plus de sens de continuer comme ça.

Je travaille comme aide-soignante à l'hôpital, avec des horaires décalés, et sans ce travail, qui est ma seule respiration, je serais morte depuis longtemps. Chaque jour, je pense au suicide ou à d'autres solutions tout aussi radicales. Et je me dis que le mieux, avant de faire une connerie, serait encore de disparaître. Partir loin d'ici, fuir cet enfer, les laisser tous en plan, mes trois enfants et surtout cette petite qui me sort par les yeux. Je me fiche bien de ce qui se passera ensuite, que le père s'occupe de sa fille, ou c'est la Dass qui s'en chargera. Qu'on m'envoie en tôle, qu'on m'hospitalise, je serai enfin tranquille et surtout : SEULE ! La vraie prison, c'est ici, dans cette vie qui ne ressemble à rien, faite de contraintes, sans aucune joie, totalement dévouée à mes enfants. Je ne veux pas finir comme ma mère, qui s'est sacrifiée toute sa vie pour sa famille, sans aucune reconnaissance. Ma décision est prise et je compte partir avant la fin du mois. J'aimerais avoir le témoignage d'autres femmes qui ont eu le courage de passer à l'acte, comment vous l'avez vécu ? J'aurais besoin de vos conseils, de votre soutien…

Lilou_62

Il est tard mais votre message me donne envie de réagir ! Comment pouvez-vous écrire des choses aussi noires, aussi dures ? Voyons !

Vous ne parlez que de vous, mais quel égoïsme ! Comme si cette petite était responsable de tout le malheur du monde ! Mais enfin, ce n'est qu'une enfant, une INNOCENTE ! Elle n'a rien demandé ! Surtout pas à être là ! À l'époque de la pilule, de l'avortement, il fallait réfléchir avant! Cette enfant est le fruit de vos amours et vous DEVEZ l'assumer à présent!

Essayez de vous comporter comme des millions de mères le font chaque jour, célibataires, divorcées, travaillant dur la journée et rentrant le soir s'occuper de leurs enfants. Aucune personne dite « normale » n'approuvera votre désir d'abandon. Trop facile comme décision, la fuite en avant!

Voilà ce que je tenais à vous dire, Beverly...

Souvenez-vous que vous êtes sur un forum de solidarité: vous ne serez jamais seule ici.

Miniboubou

Comme la vie est injuste! Mon mari et moi-même essayons depuis des années d'avoir un bébé sans y parvenir. J'aurais tellement aimé, moi, avoir la chance de devenir mère. Je comprends que ce ne soit pas facile tous les jours d'élever un enfant, mais sachez, Beverly, que c'est la plus belle chose que la Vie ait pu vous donner. Et que la Vie est sacrée.

Les choses sont mal faites, vous voudriez retrouver une vie de jeune fille quand d'autres, comme moi, n'ont qu'un seul rêve: être une maman, tout simplement.

Esmeralda

Miniboubou: C'est complètement débile ce que tu écris, il n'y a aucun rapport entre le fait que Beverly ne parvienne plus à s'occuper de sa fille et ta difficulté à tomber enceinte...

Ceci dit Beverly, si tout le monde faisait comme vous, pauvres gamins! Grandir en famille d'accueil ou en foyer, c'est très compliqué, je peux en témoigner, je suis passée par là et je ne le souhaite à personne. Je ne veux pas vous faire culpabiliser mais simplement vous donner le témoignage d'une enfant de la Dass qui ne s'est jamais vraiment remise de son abandon. Réfléchissez bien, avant de prendre une décision qui serait fatale à votre famille…

Gugusse

On fait des gosses sans réfléchir et quand on se rend compte que c'est du boulot, on se carapate, ben voyons !

C'est ça, laisse ta gamine et va te faire mettre !

Salope, mère indigne ! Sac à foutre !

Lilou_62

Je suis désolée pour vous Beverly, mais ces messages ne doivent pas vous alarmer. Ce n'est certes pas facile d'élever un enfant seule, mais dites-vous bien que c'est vous, oui, vous, qui avez fait cette jolie princesse. Elle est en bonne santé, voilà l'essentiel ! Vous allez y arriver, chère Beverly, et surmonter cette petite crise passagère. Changez votre façon de voir, un enfant n'est pas un fardeau mais un cadeau du ciel. Votre fille n'est pas votre ennemie ! Bientôt, tout cela ne sera plus qu'un mauvais souvenir et vous vous promènerez main dans la main avec votre princesse, telles deux bonnes copines. Sachez qu'avec de l'amour, chère Beverly, on peut soulever des montagnes !

Beverly

Je pensais qu'en me confiant sur ce forum, il y aurait plus d'empathie et surtout moins de jugements. Je ne peux parler de ça avec personne dans mon entourage, ni les voisins, ni les mamans du quartier. C'est tout de même incroyable que la société nous rabâche qu'il n'y a rien de plus merveilleux que d'avoir un enfant, qu'une femme qui n'a pas ce désir est quasi anormale, puis qu'on nous balance finalement, « il fallait y réfléchir à deux fois, mettre un préservatif, se faire avorter… »

Avant d'avoir un enfant, on ne sait absolument pas ce qui nous attend. Est-ce un crime que de constater qu'on n'y arrive pas ? Ne vaut-il pas mieux pour l'enfant être élevé par quelqu'un qui s'en sortira bien mieux ? Ma fille n'en sera-t-elle pas plus heureuse ? J'ai deux autres filles de quatorze et seize ans. Je leur ai moi-même conseillé de bien réfléchir avant de devenir mères. Elles voient tous les jours les galères dans lesquelles je me démène et j'espère sincèrement qu'elles s'accompliront autrement, dans leur vie de femme, leur travail…

Tipanda

Malheureusement pour vous Beverly, vous n'aurez pas ce soir, comme vous l'espériez, des témoignages qui vous donneront le courage de « passer à l'acte », selon vos propres mots… Vous voulez refaire votre vie seule sans enfants, alors que vous en avez trois ! Vous regrettez l'insouciance de votre jeunesse, mais c'est derrière vous tout ça ! C'est fini, vous entendez ? FI-NI !

Laperla

Ressaisissez-vous Beverly !

Personne ici ne vous juge, tout le monde essaie de

vous donner son sentiment en tant que papa ou maman, ça n'est pas plus compliqué !

Moi, il y a quelque chose qui m'interpelle dans ce que vous dites, comment une fillette de quatre ans réussit, à elle seule, à faire autant de dégâts ? C'est vrai que c'est un âge qui n'est pas toujours facile mais enfin, ressaisissez-vous, vous n'allez pas vous laisser dominer par une gamine de quatre ans ? Comment expliquez-vous qu'elle puisse nuire à ce point au climat familial ? Est-ce qu'à un certain moment, vous avez fait preuve de laxisme ? C'est la petite dernière, vous avez dû tout lui laisser passer et voilà le résultat... Il va falloir que vous appreniez à dire NON à votre fille. C'est vous l'adulte, vous qui devez reprendre les rênes de la situation. Même si ça passe par des cliques et des claques sur les fesses ou les mains de temps en temps. Une bonne fessée n'a jamais tué personne (sans laisser de trace, bien sûr !) J'ai moi-même élevé seule mes deux enfants, et je ne dis pas que je suis un modèle, mais comme Lilou_62 (coucou ma Lilou_62 :), j'ai toujours essayé de rester maître à bord, en élevant le ton parfois, en expliquant et réexpliquant les règles souvent, en frappant quand nécessaire... J'avoue que c'est beaucoup d'énergie, de remises en question mais c'est ça, l'éducation ! Si votre fille fait des caprices, ignorez-la, si elle hurle, coincez-la dans sa chambre et si les voisins viennent se plaindre du bruit, remettez-les à leur place, non mais ! C'est partout pareil, une éducation sans cris ni colères, ça n'existe pas ! Il faut se battre au jour le jour pour que sa petite famille ne parte pas à vau-l'eau. Mes enfants, même sans connaître leur père, n'ont jamais manqué, je crois, de cadre et de règles. Si votre fille a des problèmes de concentration ou d'hyperactivité, faites-vous aider. Faites-la examiner par un pédopsychiatre, mais ne vous avouez pas vaincue devant une gamine de quatre ans, où va-t-on ? Qui est-ce qui commande à la fin ? Qui c'est le chef ? C'est elle ou c'est vous ? Allons ! J'espère que mon message vous fera réagir, il est grand temps de vous secouer les puces ! Bourrez-vous de vitamines demain matin, faites le plein de magnésium et haut les cœurs !

Beverly

Du courage, je n'en ai plus.

Des centaines de gens disparaissent chaque année. Je n'agis pas sur un coup de tête, c'est un projet que j'ai depuis longtemps et qui m'a permis de tenir jusqu'ici. Un matin, je partirai, voilà tout. Ce n'est qu'une question de jours. Je vais tout recommencer, ailleurs, le plus loin possible. M'amuser enfin, prendre du bon temps. Mais vous ce que vous me dites, c'est que je devrais continuer à subir cette vie ? Continuer à me bourrer de tranquillisants ?

Les pères n'auront qu'à assumer leurs gosses et vivre les galères qu'ils m'ont fait vivre toutes ces années.

Je veux connaître la joie d'être une femme, pas juste une mère. C'est fini l'époque où la femme était à la maison pour s'occuper des enfants. Aujourd'hui, elle a le droit de voter, de travailler, de faire du sport si elle veut. Mais dans les mentalités, rien n'a changé. Je suis une mère indigne bien sûr, mais le père, c'est étrange, personne n'en parle ! On ne lui reproche rien. Il n'a pas vu sa fille depuis deux ans. Monsieur fait les trois-huit. Monsieur fréquente. Monsieur est très occupé. Et moi je m'amuse toute la journée à courir dans un hôpital. J'ai déjà passé quinze ans à m'occuper des deux premières, je n'en passerai pas quinze de plus avec la petite. J'ai plus de quarante ans et marre de me sacrifier. Autant en finir tout de suite ! Elle est où l'égalité entre les hommes et les femmes ? Les hommes s'en sortent bien, je trouve. Ils étaient bien là pour les faire, ces enfants ! Mais combien assument au final ? Moi, ce que j'aimerais, c'est l'avis d'une femme qui aurait enfin tout envoyé balader, d'une femme libre.

Esmeralda

Pourquoi demander des conseils sur ce forum, si vous n'écoutez personne ? Tout le monde se décarcasse pour vous aider, mais vous, vous persistez à vouloir abandonner votre enfant, rien de moins. Nous perdons notre temps avec vous. C'est surtout à cette pauvre enfant que je pense… Quant à vous, vous feriez mieux de consulter en urgence…

Beverly

Un psy n'y changera rien : la séance terminée, il reprendra son petit train-train, et moi, je resterai avec ma fille sur les bras.

C'est pas moi qui ai besoin d'un psy, c'est la société qui est mal foutue, et quand je vous lis, je comprends pourquoi.

Vos paroles, loin de me blesser, me mettent très en colère…

Anonyme

Bonjour,

Contacter la Dass, ils pourront vous aider, vos enfants et vous-même.

Profil supprimé

La Dass n'existe plus, mais il reste la SPA pour les cas comme Beverly.

Modérateur

La discussion a été fermée et les commentaires ne respectant pas la Charte du forum supprimés.

17

L'immeuble était ce ventre immense qui les avalait, l'enfant et elle, les recrachait chaque matin sur le trottoir. La concierge ne pouvait pas garder l'enfant. Elle avait déjà le ménage à finir, le mari à nourrir (elle levait les yeux au ciel chaque fois qu'elle parlait de lui), les poubelles à sortir. On ne voyait jamais le mari de la concierge, à tel point que les premiers mois, elle avait pensé que Paloma occupait seule sa loge, ou qu'elle hébergeait quelqu'un de temps à autre, un frère ou un ami de la famille. Seul le son de la radio, branchée en permanence, attestait de l'existence du bonhomme, qui, elle avait fini par l'apprendre, n'avait plus l'usage de ses jambes.

Ils croisaient souvent, dans la journée, des copropriétaires qui stagnaient par grappes de deux ou trois dans le hall d'entrée. On se taisait à leur approche, attendait qu'ils soient passés avec la poussette pour reprendre les conciliabules. Certains étaient âgés, d'autres moins. Ici, on ne se causait qu'entre copropriétaires. Pas question de mélanger les torchons et les serviettes. Les locataires et les propriétaires.

Les propriétaires, comme la voisine et son mari, se réunissaient régulièrement, des affiches étaient punaisées dans le hall pour rappeler à tous la date, le lieu et l'heure de la prochaine assemblée. « À l'attention de Messieurs et Mesdames les Copropriétaires ». Chaque fois qu'elle passait sous cet affichage, elle avait le sentiment de lire le carton d'invitation d'une fête à laquelle elle ne serait jamais conviée. Pendant ces réunions, elle les imaginait conspirer contre elle. Elle qui cumulait du retard dans ses loyers. Elle qui tombait ainsi dans la catégorie, inférieure encore à celle des locataires, des locataires débiteurs. Elle qui devrait quitter tôt ou tard cette résidence. Elle en devenait parano.

Il y avait une autre sous-catégorie fortement représentée dans l'immeuble, ceux qui vivaient dans les chambres de bonne du dernier étage. Ces chambres étaient normalement destinées à des étudiants mais vu les prix impossibles des loyers dans le centre-ville, elles étaient occupées par de jeunes travailleurs, célibataires le plus souvent, car comment pouvait-on tenir à deux dans moins de 7 mètres carrés ?

Qui dit célibataire, dit problème, martelait l'un des copropriétaires à ses acolytes, après qu'elle les eut croisés dans le hall avec sa poussette et que la conversation eut repris à bon train. Puis il se lança dans une tirade sur les Airbnb, le copropriétaire prononçait «érénbi», de sorte qu'elle avait d'abord cru qu'il parlait de musique et avait tendu l'oreille, presque intéressée. Les érénbi, disait-il, cette nouvelle engeance qui prenait leur résidence bourgeoise pour un moulin, entrait, sortait de jour comme de nuit, menaçant leur sécurité à tous.

On se répétait en tremblant l'histoire de ce Noir qui avait logé (pour ne pas dire squatté) pendant quelques semaines dans une des chambres du septième. Plusieurs fois la concierge avait entendu des cris là-haut et avait dû monter. Or la concierge détestait aller là-haut où, contrairement aux étages inférieurs, le chaos semblait régner. N'avait-elle pas découvert une fois, au petit matin, deux femmes endormies à même le sol, ivres mortes, devant la porte du Noir ? Des bouteilles de vodka jonchaient le sol. L'une des femmes baignait dans son urine, pipi, pipi, reprenait la concierge dans son français approximatif, aux copropriétaires révulsés. La voisine était de ceux-là bien sûr, la voisine et son policier de mari avaient acheté leur appartement, et leur tranquillité, espéraient-ils.

18

L'enfant était recouvert de plaques rouges, toussait et ne parvenait plus à se reposer la nuit. Le médecin diagnostiqua une scarlatine, c'était une maladie rare mais il y avait une recrudescence dans les crèches.

L'enfant ne fréquentait pas la crèche, comment était-ce possible ? Il l'avait peut-être contractée au square, à force de glisser sur les toboggans, d'escalader les tourniquets. Il fallait du repos au petit bonhomme. Elle l'emmitoufla dans une couverture, courut avec lui à la pharmacie chercher les médicaments. Le veilla deux jours et trois nuits. Le troisième jour, elle tomba malade elle aussi. Une fièvre brutale, sitôt levée elle se cognait aux meubles, aux murs, et retombait, prise de vertiges. Le médecin, rappelé en urgence, lui dit « Une scarlatine pour un adulte, ça peut être dangereux, et par sécurité, je vous envoie à l'hôpital faire des examens. » « À l'hôpital ? Et qu'est-ce que je fais du petit ? » En balançant sa sacoche sur la table, le médecin hocha la tête, « C'est pas possible, des situations comme ça! Les bonnes femmes, vous l'avez eue l'égalité, mais vous voyez où ça vous a menée? Vous ne pouvez même plus aller vous faire soigner!» Il se radoucit, «Essayez les sites de rencontres, c'est comme ça que j'ai trouvé ma femme, moi...»

Alors ils partagèrent la même couche, la mère et le fils, plusieurs jours et plusieurs nuits, une infinité de jours et une infinité de nuits, l'enfant gémissait malgré les antidouleurs, elle délirait, et n'avait pas réussi à se rendre à la pharmacie pour obtenir ses propres médicaments.

Elle fit des rêves étranges et entremêlés: une internaute nommée Magic_mum lui chuchotait à l'oreille qu'elle manquait d'organisation, que tout problème avait sa solution, et puis Lilou_62 intervenait et la traitait de troll, se lançait dans un laïus sur l'amour maternel, capable de déplacer des montagnes, ce n'était tout de même pas un petit microbe qui allait la faire flancher.

Le traitement antibiotique finit par avoir raison de l'infection, l'enfant se rétablit doucement, elle reprit des forces et put aller faire quelques courses. Ce ne fut bientôt plus qu'une percée dans le temps, une expérience à ne jamais renouveler.

Désormais un seul mot d'ordre, ne pas tomber malade, on ne pouvait pas se le permettre. Elle emmitoufla l'enfant plus que d'habitude et même en été, il ne sortait plus sans un petit foulard autour du cou. Elle se fit vacciner contre la grippe, se dopa aux vitamines, supplia son corps de ne pas la lâcher une nouvelle fois, s'interdit de penser aux mères à qui on annonçait un cancer du sein ou des ovaires, à celles dont l'enfant souffrait d'un handicap.

— Tu te souviens de cette histoire ?

— Le loup, le loup !

— Tu vas arrêter avec ton loup…

Un jour, la chèvre se dit en regardant la montagne :

Comme on doit être bien là-haut ! Quel plaisir de gambader dans la bruyère, sans cette maudite longe qui vous écorche le cou ! C'est bon pour l'âne ou pour le bœuf de brouter dans un clos ! Les chèvres, il leur faut du large.

À partir de ce moment, l'herbe du clos lui parut fade. L'ennui lui vint. Elle maigrit, son lait se fit rare. C'était pitié de la voir tirer tout le jour sur sa longe, la tête tournée du côté de la montagne, la narine ouverte, en faisant Mé ! tristement.

Monsieur Seguin s'apercevait bien que sa chèvre avait quelque chose, mais il ne savait pas ce que c'était…

— Tu sais ce qu'elle a, la chèvre, toi ?

20

Elle y pense depuis des heures. Elle y pense
en regardant l'enfant étaler son yaourt sur la
table. Elle y pense en le voyant lancer ses petites
voitures contre la porte. En ramassant les jouets,
en remplissant le lave-vaisselle, en épongeant
le sol trempé après le bain, elle y pense tout le
temps.

Ce soir, elle ressortira. Elle s'accordera deux
heures cette fois. Deux heures, juste le temps de
rejoindre le fleuve. Elle croisera des silhouettes,
des visages, on la croira libre. Un homme peut-
être lui parlera. Un homme peut-être la prendra
pour une jeune fille. Elle n'a pas changé tant que
ça après tout. Elle se regarde dans le miroir de
l'ascenseur, est-ce que son visage a changé ? Un
inconnu ne remarquera rien dans la nuit, il
l'accompagnera quelques pas. Ils échangeront
quelques mots, ce sera agréable. Quelques instants, elle pourra être autre chose qu'une mère.
Salope, sac à foutre, mère indigne, les phrases
des internautes lui reviennent. Elle veut juste

courir jusqu'au fleuve, elle veut juste voir la couleur du fleuve la nuit. Profitez-en, ça passe si vite. C'est pour le fleuve qu'elle est venue ici. Elle s'est menti jusqu'alors. Elle croyait que c'était pour le père de l'enfant. Foutaises. Elle se souvient, quand elle est arrivée ici, la guerre commençait tout juste en Syrie. C'était pour l'eau qu'elle s'était installée dans cette ville. L'eau qui la traverse du nord au sud. Le Rhône, le masculin, la Saône, l'élément féminin. À la confluence, la Saône se jette dans le Rhône. Ou le contraire. Ces passerelles qu'ils traversaient main dans la main avec le père de l'enfant. Le matin, ils prenaient des jus, des cafés, des brioches aux pralines croquantes dans les cafés de Saint-Jean. La nuit, ils tentaient de s'aimer.

Un matin après qu'ils avaient passé la nuit côte à côte, elle était partie seule, sur les bords de la Saône. Il faisait beau, et elle était pareille à cette rivière, profonde, escarpée, prête à se jeter dans le premier fleuve venu. Ce matin-là, quelle joie. Quelle joie de penser à lui, à eux, à l'avenir qui s'ouvrait enfin.

Elle a cru que la joie était un signe, elle avait la forme de l'évidence.

Tout doux, la clé dans la serrure.
Tout doux mon bébé dans ses draps propres.
Tout doux.

— Papa, Papa !

— C'est Papou, pas Papa !

Elle insista lourdement. Pa-pou ! Elle ne supportait pas que son fils appelle son grand-père ainsi.

Le grand-père sourit.

«Papa, Papa.» Le petit s'agitait sur sa chaise. Ils se retournèrent. À la table voisine du restaurant, un couple. Lui, la trentaine, blond, elle, très sophistiquée, semblait un peu plus âgée. Effectivement, de trois quarts, l'homme avait la corpulence du père de l'enfant. Ses larges épaules, son teint et ses cheveux clairs... elle comprenait le trouble de son fils.

«Papa, Papa ?» répéta le petit. Il la regardait, pouvait-il se réjouir ? Pouvait-il faire la fête à son papa ?

Elle se pencha vers l'enfant. «C'est vrai, ce monsieur ressemble beaucoup à ton papa. Mais ce n'est pas lui !»

Le petit eut besoin de vérifier par lui-même. Il

glissa de sa chaise et s'approcha de la table voisine.

Le grand-père voulut réagir, « Retiens-le, ça ne se fait pas… »

Le petit s'approcha de l'homme et le regarda bien fixement. Plongé dans sa conversation, l'homme n'y prêta pas attention.

Après quelques secondes, l'enfant fit demi-tour et revint à sa place.

— Alors ? lui dit-elle.

— C'est les cheveux comme Papa, dit l'enfant.

Le grand-père semblait ne pas comprendre la scène, absorbé dans la contemplation de la carte.

— On lui prend un menu enfant ? Nuggets ou steak haché ?

Elle sourit à l'enfant.

— Toi aussi, tu as les cheveux comme Papa, mon amour, les cheveux tout blonds.

— Regarde, Papou aussi met son bavoir.

Le grand-père écarta son col de chemise et y glissa une serviette en papier. Elle entreprit de faire de même avec l'enfant mais il l'arracha aussitôt.

— Des frites, des frites, exigea-t-il. Avec du ketchup !

— Je ne sais pas comment tu l'élèves, mais ton fils ne se nourrit que de ketchup, ma parole !

Pendant le repas, l'enfant les interrompait tout le temps.

— C'est fou, il ne supporte pas qu'on se parle, dit le grand-père.

— C'est qu'il n'a pas l'habitude, il est toujours seul avec moi !

— Alors c'est ma faute, je suis de trop, dit le grand-père. Maintenant tu te tais, fit-il en s'adressant à l'enfant, ce sont les grands qui discutent, toi, tu demandes pour prendre la parole.

— Non, dit l'enfant.

— Si, c'est comme ça, dit le grand-père.

— Calme-toi, il n'y a aucune raison de s'énerver, tout va bien.

— Mais bien sûr, on ne s'énerve jamais, on leur laisse tout passer et voilà le résultat.

— Ne crie pas, tu vas lui faire peur.

— On n'aurait jamais laissé faire avec votre mère.

— Eh bien justement, je n'ai pas l'intention de l'élever comme vous nous avez élevés.

— Ça promet !

L'enfant saisit une grappe de raisin sur la table.

— Il s'est écrasé du raisin sur le visage, regarde, il continue, c'est une vraie folie ! Donne-moi tout de suite ce raisin, c'est dégoûtant, et dis à ta mère de t'emmener vivre dans une ferme, au milieu des cochons.

Le petit répondit qu'on ne dit pas dégoûtant, c'est un cro mot, un très cro mot.

Le grand-père a traversé la France pour les voir, c'est le jour de son anniversaire.

— On est contents que tu sois là, sourit-elle, bon anniversaire Papou.

Le petit est devant la télé. La moins chère des baby-sitters, à défaut d'être la meilleure. Un œil sur l'écran – elle ne veut pas qu'il regarde n'importe quoi, qu'il tombe sur des pubs, du télé-achat, des séries violentes... –, l'autre sur son ordinateur, elle essaie de travailler. Puis elle ira prendre sa douche. Habiller le petit. Le square. Le déjeuner. Retravailler une heure ou deux pendant la sieste. Le goûter, les courses, le bain, l'éternel recommencement, la douce rengaine.

Quelque chose ne va pas? Elle s'approche, caresse la petite joue rebondie. Tu veux un autre biberon? Tu veux te reposer dans ton lit? La bouche de l'enfant se retourne, les petites commissures retombent vers le bas, ses yeux sont mi-clos. Tu es triste? Il hoche la tête, son petit menton tremble légèrement. Que se passe-t-il? Papa, chuchote l'enfant, mon papa. Eh bien quoi ton papa? Il est où? Il est où mon papa?

Elle s'assied près de l'enfant. Lui prend la main. Il n'est pas là ton papa, pour le moment, c'est comme ça. On n'y peut rien, ni toi ni moi.

Elle aimerait connaître les mots qui rassurent, les mots qui consolent, mais elle a lu quelque part, sur un forum peut-être, qu'il ne fallait pas bercer l'enfant d'illusions ni l'entretenir dans une fausse attente. Elle se risque. Si ton papa peut te voir un jour, il m'appellera, et je te le dirai. Je te le dirai tout de suite, tu seras le premier au courant. Si ton papa appelle, je ne ferai pas obstacle, pas du tout, je sais comme c'est important un papa.

Elle ne doit pas sombrer avec l'enfant, pas sangloter avec lui, elle peut compatir, mais pas sombrer. Ne pas sous-estimer sa peine non plus, pour une fois qu'il l'exprime. Tu n'es pas tout seul mon amour, des enfants sans papa, il y en a tant, et ça ne choque personne.

Elle berce l'enfant, qui semble s'être calmé. Mon petit, mon tout-petit. Non je suis grand, proteste l'enfant. Mon tout petit grand. Tu veux jouer à quoi ? On dirait que je suis un crocodile et toi ? Une panthère ? D'accord, tu es une panthère, rouahhh.

23

C'était une veille continue, chronique, sans répit. Les nuits n'étaient plus jamais des nuits quand pour un rien, un mauvais rêve, un bruit dans le couloir, une angoisse passagère, l'enfant se réveillait et hoquetait. Trois, quatre fois par nuit, il la réclamait. Il ne pouvait se rendormir que si elle restait là, «à côté, à côté», suppliait-il. Rien n'y faisait, ni les caresses ni les paroles réconfortantes, il se réveillait, chagrin, confus, bizarre et c'était son angoisse à elle qui résonnait dans sa petite voix.

Les week-ends, les jours fériés étaient les pires quand elle guettait un nouveau signe du père. Parfois, elle lui envoyait des messages en pleine nuit, «Qu'en est-il de l'enfant?» «Veux-tu voir ton garçon?» Le petit en parlait peu. Elle essayait de faire exister son père à travers des photos, quelques souvenirs. Ton papa serait content de savoir que tu mets tes chaussettes tout seul. Ton papa serait fier que tu dormes dans un lit de grand. Ton papa n'aimerait pas t'entendre dire ce gros mot. Ou alors. Tu as les mêmes cheveux que ton papa. Tu portes un joli nom, c'est celui de ton père.

Le dimanche, elle n'avait pas la force de quitter la ville. Le père finirait par se manifester, il voudrait un jour revoir son fils, il ne pouvait en être autrement. Et alors il faudrait être là, se tenir prêts. Vers vingt heures, vingt et une heures, une fois qu'elle avait compris que le père n'appellerait pas, qu'il ne se passerait plus rien, elle relâchait la pression. Elle mettait la musique, elle arrêtait de ranger, de préparer, d'anticiper. L'enfant se mettait à danser, elle montait le son, elle sautillait avec lui, c'était irréel, c'était tous les deux, parfois ils s'endormaient presque heureux.

Dès qu'elle avait un peu d'argent de côté, elle réservait des jouets sur Le Bon Coin, et ils traversaient la ville, allaient récupérer des tigres en peluche, des trottinettes, un garage en plastique, un xylophone de seconde main. L'enfant les découvrait en criant de joie, elle faisait des crêpes, du chocolat chaud, c'était la fête. Ils passèrent ainsi Noël, le jour de l'An, son deuxième anniversaire...

Elle préférait les jours de semaine, quand les autres allaient travailler, alors elle passait pour une femme normale, avec son enfant, une mère au foyer, sûrement. Des lieux s'ouvraient, les accueillaient. La bibliothèque, les cafés, le supermarché, on prenait ses habitudes dans le quartier.

Voulait-on participer à un atelier conte ? S'inscrire à une animation yoga pour les tout-petits ? On sortait, on s'aérait, on parlotait.

C'était l'âge des caca boudin, des « pourquoi ? », des « et après ? », des mêmes questions, répétées jusqu'à ce qu'elle n'en déchiffre plus le sens, qu'elle contemple l'enfant, stupéfaite, avant que le message ne lui arrive enfin au cerveau, « Tu joues avec moi ? »

À longueur de journée, elle l'écoutait babiller, de sa petite voix claire.

C'était l'âge de Max et les Maximonstres, de Chien bleu et du Grand Monstre vert, c'était l'âge des dragons, du loup et des sorcières. Une histoire puis deux puis trois, l'enfant n'en avait jamais assez, jamais assez de livres, de jouets, d'attention et au moment de se coucher c'étaient des pleurs et des peurs à n'en plus finir.

C'était l'âge des manèges, de la souris verte et de la pâte à modeler qu'on aplatissait en crêpes, et qui aussitôt devenait des tartes aux fruits, des serpents qu'on laissait rouler sous la paume.

C'était l'âge de Frère Jacques dormez-vous, des Non non non, et des Moi moi moi.

Parfois ils prenaient le train, allaient voir des oncles et tantes, des amis. On les attendait sur un quai, une parenthèse s'ouvrait. Rien ne pouvait rendre l'enfant plus heureux que d'être avec d'autres enfants, en particulier ses cousins. Pendant quelques jours, ils se laissaient tous deux bercer par le rythme d'une famille, des repas sur la grande table recouverte d'une nappe en vinyle rouge à pois blancs. Des poissons cuisaient au four, des plateaux de fromages trônaient dans la cuisine, et au moment du coucher, des confidences s'éternisaient autour d'une camomille.

La maison était grande et pleine d'enfants. Le sien courait, riait, la croisait sans la reconnaître, tant il était ivre de cette multitude, de tous ces possibles, de cet oubli d'eux-mêmes.

Puis il fallait rentrer, reprendre des trains et le train-train, il fallait s'organiser à nouveau, retrouver leurs marques dans cette ville déserte.

Elle tenait la journée, elle tenait pour le petit. Mais quand la nuit s'annonçait, elle avait hâte de le voir endormi, de pouvoir enfin tout lâcher, les craintes, les colères retenues. Mais l'enfant n'en finissait pas de revenir, tantôt il avait soif, ou peur, ou envie de faire pipi, tantôt il voulait juste qu'elle reste là, « à côté, à côté ». Elle se recomposait aussi vite un visage de mère rassurante, donnait à sa voix des inflexions douces. Parfois, elle perdait patience, elle aurait voulu qu'il se taise, qu'il arrête de la solliciter, qu'il lui fiche enfin la paix. Elle était lasse, fatiguée de cette créature qu'elle avait créée de toutes pièces : la bonne mère. C'était sans doute dans ces moments-là que l'envie de fuir était la plus forte. Quand elle réalisait qu'elle ne supportait plus cet unique rôle où on la cantonnait désormais, dans un film dont elle avait manqué le début, et qu'elle traversait en figurante. C'était alors que les fugues s'imposaient, comme une respiration, un entêtement.

Depuis un certain temps, elle en était certaine, la voisine l'évitait. Depuis qu'elle lui avait proposé de venir chez elle peut-être. Il lui semblait que parfois, la porte d'en face claquait sur le palier alors qu'elle ouvrait la sienne. Qu'elle entendait des cris, elle n'aurait pas su dire si c'était la voisine qui pleurait, ou son mari qui haussait le ton, ou les deux à la fois.

Un soir, elle croisa le mari dans le hall d'entrée.

Il était encore en uniforme. Ils attendirent l'ascenseur avec l'enfant qui trépignait.

— Police, police, fit l'enfant, tout en visant le mari de la voisine avec une mitraillette imaginaire, tatatata tatatata…

Le mari de la voisine ne réagit pas.

— Eh bien moi à ma maison j'ai un tigre, et aussi une voiture de pompiers…, dit l'enfant.

— Désolée – elle sourit au mari de la voisine qui entrait dans l'ascenseur. Désolée, c'est la première fois qu'il voit un policier en vrai.

Et elle ajouta :

— Comment va votre femme ?

Le voisin se rétracta aussitôt.

— Mon épouse n'a pas été assez claire avec vous ? Fichez-nous la paix !

Passer le week-end

25

«Je passerai ce week-end.» Le message s'affichait sur son écran comme un rébus, une énigme. C'était le numéro du père de l'enfant.

Passer? Pour faire quoi exactement? Récupérer ses affaires? Embrasser l'enfant? Passer, cela ne voulait pas dire rester. Passer en coup de vent? Ce message présageait-il un changement majeur dans le comportement du père ou ne s'agissait-il que d'un effet d'annonce? Après tout, c'était le père et, autant qu'elle, il avait des droits sur l'enfant. Le droit de le lui retirer, peut-être de le lui enlever?

Elle pensa à ce refrain, entêtant, une chanson d'enfant, il est passé par ici, il repassera par là, il court il court, le furet, le furet du bois joli…

Non, par son message, le père signifiait simplement qu'il voulait reprendre contact, qu'il n'avait pas oublié son fils. Qu'il allait peut-être le revoir de temps à autre. Qu'une entente, une conciliation allait se mettre en place. Quand elle annonça enfin la nouvelle à l'enfant, elle était tout à fait calmée.

J'ai reçu un message de ton papa. Il pense à toi. Il va venir te voir. Il t'aime. En prononçant ces mots, elle se mit à pleurer. Des larmes de joie, de soulagement. L'enfant et elle s'embrassèrent, s'enlacèrent, ils étaient à nouveau une famille.

Le week-end, le téléphone du père était à nouveau coupé. Vers dix-huit heures, elle proposa à l'enfant de sortir, juste faire un tour, s'aérer avant le dîner.

Et Papa ? dit l'enfant.

Je ne sais pas, ton papa a sûrement beaucoup de travail.

Dans la rue, l'enfant traînait, tombait en arrêt devant chaque caillou, chaque plaque d'égout, chaque nouvelle porte d'entrée. Le monde entier le ravissait, l'absorbait, il voulait s'approcher, toucher, comprendre. Elle le tirait par la manche de son blouson. Avance. Avance donc. Qu'est-ce que tu fais. Allez. Dépêche-toi. Le père allait peut-être passer pendant leur absence. Quelle idée avait-elle eue de sortir dans ces conditions ? L'enfant finit par s'asseoir par terre. Il ne voulait pas rentrer, pas tout de suite. Il voulait d'abord voir la lune se poser doucement dans le ciel. Elle s'assit avec lui sur le perron d'une boutique et ils attendirent ensemble la tombée de la nuit.

Le message du père entérina une nouvelle période, une attente incertaine, floue, sans élément susceptible de l'orienter, ni date ni motif.

Aussi recommença-t-elle à sursauter à chaque texto, à vérifier plusieurs fois par heure sa boîte mail, la messagerie de son téléphone. Le père allait passer, il fallait croire en cette information, oui, son enfant avait un père, il allait bien finir par le revoir.

26

Elle n'aurait pas dû. Elle n'aurait jamais dû aller si loin. Elle est dingue. Elle l'a su dès qu'elle est descendue dans la station de métro. Dès que la rame s'est refermée sur elle et qu'inexorablement elle s'est éloignée du petit. Sur le quai, déjà, elle en attrapait des crampes. À quoi joue-t-elle ? Il y a un périmètre de sécurité qu'elle n'aurait jamais dû franchir. C'est la dernière fois.

Avancer. Si elle se retourne, c'est foutu. Chaque station, un coup de poing. Et si le métro tombait en panne ?

Elle n'a finalement rien changé à son programme. Elle est descendue à la station Bellecour et a pris la direction de la Saône.

Dévalé les escaliers qui mènent vers les quais.

L'eau, l'eau immense. Ses talons humides sur le pont, des baisers mouillés.

La Saône est pleine ce soir, large. Encore quelques centimètres et elle déborde.

Elle emprunte la passerelle rouge, la passerelle des amoureux. Des tas de cadenas, de colifichets, le long des grilles rouges. Christophe je t'aime. Lou + Camille. Pablo et Yasmina. Jocelyne et Fabrice. For ever.

Il pleut.

Tant mieux.

Bientôt ses cheveux seront trempés, elle défait l'élastique qui les retient. Les libère d'un brusque mouvement de tête.

Elle sent ses jambes, ses cuisses.

Son dos, sa nuque.

Avoir un corps.

Un corps sans enfant qui s'y cramponne. Un corps sans poussette qui le prolonge. Ça lui avait paru étrange lors de ses premières sorties. Elle s'était sentie nue, vulnérable. Comme si on l'avait amputée de quelque chose, d'une extension quasi naturelle d'elle-même.

Mais ce soir elle se sent légère, légère.

Avancer. À son propre rythme, pas celui, lent, toujours décalé, de l'enfant. Réintégrer son corps. Sa vie.

Courir le long des quais.

Sautiller, chantonner dans la nuit froide. Une souris verte heu, qui courait dans l'herbe heu... Demain, elle sera crevée, au moins, elle saura pourquoi.

Sur la balustrade du pont Bonaparte, un type est accroché. Qu'est-ce qu'il fout ? Il semble chercher quelque chose dans son sac. Elle l'interpelle. Hé, ça va ? Le bruit du vent, l'homme ne l'entend pas. Il ne va pas se jeter à l'eau sous ses yeux ? Elle crie. Le type se retourne et lui fait signe d'arrêter. En quelques gestes, il trace des lettres sur le ponton. Un tagueur. D'une autre couleur, il remplit les vides. Surligne finalement les contours. Elle déchiffre : CHAZE.

Le type enjambe la balustrade et rejoint les quais en courant.

Ça a duré à peine quelques minutes mais le tag est là, immense. Demain, tous les bateaux le verront.

Plus loin sous le pont, une odeur de peinture, de chimie.

Quelques types se tiennent là, jeans-baskets et bonnets, canettes de bière à la main.

À leurs pieds, des sacs remplis de bombes aérosols.

Elle leur sourit. C'est vous les graffs ? Un des gars, d'une vingtaine d'années, la toise. Nous, on fait que des tags et du vandale ! Elle regarde sa canette de bière. Je peux en boire une gorgée ? Le garçon lui tend la canette.

Le type du pont arrive, aussi trempé qu'elle. Quelqu'un le siffle :

— Bravo mec, c'était chaud sur le pont !

— À cet endroit-là, mon blaze ne sera pas repassé avant un moment...

— Tout l'art du placement...

— Il y a une folle qui a hurlé, j'ai failli me faire repérer...

Son smartphone bipe dans son sac.

Merci pour la bière.

Chaze ne l'a pas reconnue. Chaze, est-ce vraiment un prénom ?

Remonter les quais et prendre le dernier métro. Quelques rues la séparent encore de l'appartement.

Elle connaît pourtant ce carrefour, elle sait qu'il est dangereux et qu'il faut prendre mille précautions lorsqu'elle le traverse avec l'enfant dans la poussette.

Elle ne voit pas le taxi arriver, droit sur elle.

27

Les bras, ça va. Les jambes aussi. À quelques centimètres de son visage, dans le caniveau, une plaque de métal chromé. Une portière de voiture arrachée. Plus loin, un morceau de rétroviseur.

Elle se redresse. En voulant l'éviter, le taxi est allé s'encastrer dans une file de voitures en stationnement. L'impact a endommagé plusieurs d'entre elles. Le conducteur sort du véhicule et court vers elle.

— Vous n'avez rien ?

— Vous non plus ?

— Si vous aviez voulu vous jeter sous mes roues, vous n'auriez pas fait mieux.

— Je vous assure, je n'ai aucune envie de mourir, aucune…

— Vous tremblez, j'appelle un médecin, le Samu ?

Elle fait signe que non. Une première voiture s'arrête, des passants s'avancent. Faites le 115 ! Non, la police, c'est le 117 ! Ça va madame ?

— Que de la tôle froissée, personne n'a été touché.

— Vous êtes sûre que vous n'avez pas besoin de vous faire examiner ? Les pompiers vont arriver d'une minute à l'autre ! Il faut faire un constat !

— Un constat ?

Elle regarde l'homme qui a failli la tuer.

— Vous rouliez à toute vitesse sur un passage piéton, en centre-ville. Vous voulez vraiment qu'on fasse un constat ?

Elle récupère son sac sur la chaussée et zigzague entre les voitures à l'arrêt.

Elle est une bête. Une bête aux abois. Une bête traquée.

Qu'on la laisse.

L'ascenseur interminable. Chaque étage un siècle.

28

Les affaires familiales ne payaient pas, l'avocate la reçut dans un bureau miteux. Elle avait bien fait de la consulter. Des cas comme elle, elle en voyait à longueur de journée. Qu'elle réunisse ses forces et ses factures, ses relevés de compte, un maximum de pièces. On allait monter un dossier. Le père ne méritait aucune pitié. Il fallait se réveiller, sortir de sa torpeur, passer à l'action. Attaquer. Saisir un juge. Elle, l'avocate, était là pour la défendre contre cet ex-conjoint, et surtout contre elle-même et son attentisme. Si le père ne donnait plus signe de vie, il serait au moins obligé de donner de l'argent. Du fric. Du pognon. L'avocate tapa sur la table avec son stylo et lui demanda si elle avait quelque chose à ajouter.

Oui, elle avait en effet quelque chose à ajouter, elle trouvait très intéressante la proposition de l'avocate mais ne risquait-on pas de braquer le père ? Elle, ce qu'elle voulait, plutôt que de l'argent, c'était que le père voie son fils. Comment

114

amener un père à reprendre contact avec son enfant ? Elle demandait ça parce que ça lui paraissait important, très important, voire vital pour l'enfant, même si d'argent, bien sûr, elle avait besoin aussi, elle était d'ailleurs dans une situation compliquée, chaque jour plus compliquée, mais ce qu'elle désirait dans le fond, ce qu'elle désirait vraiment, c'était que le père se souvienne qu'il avait un fils. C'était la seule raison qui la poussait à rester ici, dans cette ville où rien ne bougeait, où rien ne se passait.

L'avocate soupira. Ce n'était pas avec ce genre de sentimentalisme qu'on faisait avancer les dossiers. Qu'elle se ressaisisse. Elle ne pouvait pas demander l'impossible à la justice. La justice pouvait forcer le père à donner de l'argent, ça oui, la justice procéderait à des ponctions sur le salaire du père, jusqu'à dix pour cent du salaire du père, cent euros, deux cents euros, était-il au moins solvable ? Parce que s'il n'était pas solvable, c'était foutu et tant de types préféraient se déclarer insolvables plutôt que d'avoir à payer pour leur progéniture... Mais un père, ça ne vous paraît pas important, répétait-elle ? Son seul amour de mère, elle le sentait, ne suffisait pas. L'enfant avait besoin de l'affection de ses deux parents pour grandir, comme de ses deux jambes pour marcher. On pouvait bien sûr demander un droit de visite, dit l'avocate. Mais si le père n'avait pas l'intention de revoir son fils, à quoi bon insister ?

À quoi bon lui accorder un privilège que de toute façon il n'exercerait pas ?

Car le droit de visite et d'hébergement, comme son nom l'indiquait, n'était qu'un droit, en aucun cas un devoir. Rien n'obligeait un parent à voir son enfant. C'était une forme légale d'abandon, mais c'était sans doute mieux ainsi car si un père ne manifestait pas l'envie de prendre soin de sa famille, à quoi bon l'y contraindre ? Les lois avaient été pensées dans l'intérêt de l'enfant, et dans l'intérêt de l'enfant on avait décidé qu'il ne verrait ses parents que si ceux-ci en avaient envie.

En revanche, et l'avocate attirait son attention sur cet aspect, en revanche, si une fois, une seule fois, dans le cadre de ce droit de visite, le père venait chercher son fils et qu'il trouvait porte close, ou que la mère se soit absentée, le père était en droit de porter plainte. Entrave au droit de visite, les juges ne rigolaient pas avec ça… Vous imaginez-vous, insistait l'avocate, vous imaginez-vous, un week-end sur deux et la moitié des vacances, assignée à domicile, contrainte d'attendre quelqu'un qui de toute façon ne viendra pas ? C'est ça que vous comptez demander au juge ? Le droit de visite, c'était une arme qui se retournerait contre elle, un moyen pour son ex-conjoint de contrôler sa vie, de la priver, encore un peu plus, de liberté… C'était pourquoi elle lui conseillait, en tant que juriste, et tant que la loi était aussi archaïque, c'était pourquoi elle lui conseillait, si le père ne demandait rien de lui-même, de renoncer à lui réclamer autre chose que du fric. Du fric ! Elle tapa avec son poing sur son fax, et lui sortit la liste des pièces à réunir pour monter le dossier. Et il n'y avait pas de temps à perdre, les délais étaient de minimum six mois avant d'envisager une audience devant un juge. Elle lui tapota l'épaule en la poussant vers la sortie, et lui assura que dans cette bataille qui commençait, elle n'était plus seule… En attendant, elle était priée de lui verser un acompte de cinq cents euros, à l'ordre du cabinet.

29

PÈRE + ABSENT

Lulubluette

Je me suis inscrite sur ce forum de maman solo, parce que même si je suis en couple, je considère que je vis comme une solo. Je vous explique, j'ai deux enfants, dont un bébé de deux mois. Mon chum travaille de 6-7 heures du mat jusqu'à 8-9 heures le soir. Il est à son compte, donc jamais un jour de congé. C'est moi qui gère tout tout tout. Courses repas ménage enfants… De temps à autre, mon chum passe un court moment à la maison, il me dit qu'il a besoin de souffler, il s'affale sur le canapé, devant la télé ou la play… c'est comme s'il n'était pas là en fait. De temps en temps (trop rarement!) on fait une sortie en famille, le parc, le zoo… mais ça reste très limité. Chaque jour, je me dis que ce n'est pas le genre de vie que je voulais, pas du tout, et chaque jour, je pleure. Il y a vraiment quelque chose qui ne tourne pas rond! J'ai essayé d'en discuter avec mon chum, lui ai demandé de bosser un peu moins. Quand j'en parle, il fait des efforts pendant quelque temps pour être plus présent, puis ça recommence.

J'en ai marre d'avoir toujours à le supplier de m'aider, je suis épuisée de m'occuper de tout, toute seule. Si j'avais su que c'était ça la vie de famille, je me serais bien abstenue. J'en arrive à envier les mères seules, au moins, elles peuvent se faire aider. Moi, je n'ai droit à rien puisque en théorie, on est deux ! Je ne fais rien pour moi, aucune activité. Je pense de plus en plus à la séparation, en même temps, mon chum n'est pas un mauvais gars et je l'aime. Cette situation me rend clairement malheureuse. Je n'arrête pas de me plaindre, et ça me décourage encore plus. Je suis déprimée de voir que je n'y arrive pas, que je ne suis pas une superwoman…

Bricole

Bonjour Lulubluette,

Je suis mariée à un militaire, il passe la semaine en caserne, à deux cents kilomètres de chez nous. Alors je pense que ma situation ressemble beaucoup à la tienne. Notre fils a dix-huit mois, je m'en suis toujours occupée seule la semaine, en plus de mon travail à plein temps, où j'ai aussi beaucoup de responsabilités. Je suis obligée de prendre seule toutes les décisions concernant notre fils, de m'organiser du lundi au samedi, ça fait beaucoup de pression. C'est ça le plus dur au final, ne pas pouvoir se reposer sur quelqu'un d'autre que soi. Et pour ma part, avoir l'esprit tout le temps occupé par des questions d'organisation, les listes de tâches à faire… à la maison comme au travail. Mais avec le temps, je commence à m'habituer à cette situation, je crois que c'est une question de mental dans le fond, et c'est surtout ça qu'il faut travailler, le mental. Je pratique la visualisation et la projection, ça m'aide beaucoup. Si tu veux des conseils, je suis à ta disposition. Bon courage à toi !

Bonobo

Rhaaa c'est pas vrai les femmes, vous passez votre temps à vous plaindre ! (comme ça, je suis sûr d'avoir votre attention à toutes, mesdames, ☺)

Sinon Lulubluette, il fait quoi dans la vie ton mec ? Je me dis qu'il a peut-être un travail crevant, et qu'une fois rentré chez lui, il n'a qu'une seule envie, qu'on lui fiche la paix ! Je comprends ton envie de partager les tâches ménagères, c'est vrai que ça peut créer des liens dans un couple. À mon avis, tu devrais avoir une vraie discussion avec lui, mais évite le « chéri, faut qu'on parle », ça fait flipper ☺

Essaie de le secouer, tu peux lui demander de l'aide pour faire le lit, la vaisselle, mettre la table…

Et dis-toi que tu as de la chance dans ta malchance, au lieu de se vautrer devant la télé, ton gars pourrait prendre ses cliques et ses claques et retrouver ses copains au bistrot, rentrer bourré un soir sur deux… Il est au moins près de toi physiquement, même s'il ne t'aide pas beaucoup… Et puis, change de canapé. Achètes-en un moins confortable ☺

Lulubluette

@Bonobo : Je ne suis pas mère au foyer, juste en congé maternité. On a tous les deux le même salaire avec mon mari, et mon travail est tout aussi fatigant !

Mais vu comment ça se passe à la maison, je retravaille dès que je peux, ça c'est sûr… même si j'adore mes enfants !

Nougatine

Mon mec était comme le tien, un vrai gamin, et je l'ai quitté. J'élève mes deux enfants seule et je suis bien mieux maintenant. Mais je peux te dire que les parents solos n'ont aucune aide spécifique. Le père n'a plus donné signe de vie après la séparation et mon entourage me dit qu'il reverra ses enfants une fois qu'il aura retrouvé une autre compagne. Bah, oui, sans Bobonne, c'est trop dur ! Ce que je constate c'est que solo ou pas, on rencontre toutes les mêmes difficultés. Les femmes ont gagné le droit de voter et de travailler à l'extérieur, mais elles ont gardé celui de s'occuper des gosses, de la bouffe, du linge et du ménage. Tout ça gratis ! Et quand elles craquent, on leur dit qu'elles sont fragiles, bah oui ! Mesdames, si vous avez des garçons, par pitié, éduquez-les autrement que leurs pères…

C'est qu'elle n'avait peur de rien la Blanquette.

Elle franchissait d'un saut de grands torrents qui l'éclaboussaient au passage de poussière humide et d'écume.

Alors, toute ruisselante, elle allait s'étendre sur quelque roche plate et se faisait sécher par le soleil... Une fois, s'avançant au bord d'un plateau, une fleur de cytise aux dents, elle aperçut en bas, tout en bas dans la plaine, la maison de Monsieur Seguin avec le clos derrière. Cela la fit rire aux larmes.

— Que c'est petit! dit-elle ; comment ai-je pu tenir là-dedans ?

Pauvrette ! De se voir si haut perchée, elle se croyait au moins aussi grande que le monde...

L'enfant se tord les mains. Ce n'est pas la première fois qu'on lui lit cette histoire. Il sait que pour la chèvre, plus dure sera la chute.

31

Acrylique 35, ce sera son pseudo.

Bienvenue Acrylique 35. Vous pouvez maintenant intervenir librement sur le forum. Les messages postés sont immédiatement visibles en ligne. Nous avons choisi de les modérer a posteriori pour les rendre plus vivants. Merci de respecter la Charte d'utilisation.

CRÉER UNE NOUVELLE DISCUSSION.
Elle titre : LES FUGUES DE MON AMIE.

J'ai une amie qui a déménagé à plusieurs centaines de kilomètres. Je lui parle régulièrement au téléphone et voilà, je m'inquiète pour elle. Elle vit seule avec son fils et ne s'en sort pas vraiment. Je sens qu'elle est à bout. Elle m'a confié que certains soirs, il lui arrivait de s'absenter, de faire en quelque sorte des fugues. L'enfant reste tout seul. Je la mets en garde, lui dis qu'elle met son fils en danger…
Elle ajoute : J'ai l'impression qu'elle y a pris goût,

qu'elle sort de plus en plus longtemps. Elle tire sur la corde, je…

Acrylique 35, voulez-vous vraiment supprimer votre message ?
Message effacé.

Tirer sur la corde

32

Une personne de la mairie l'avait appelée, une place en crèche se libérait. C'était à l'autre bout de la ville, avait-elle une voiture ? Elle devait se décider dans l'heure, il y avait d'autres noms sur la liste.

L'enfant avait plus de deux ans, et pendant plusieurs mois, chaque matin, chaque soir, ils traversèrent la ville. Il fallait marcher une quinzaine de minutes, longer le cours Vitton, qui reliait Lyon à Villeurbanne et puis un premier métro les amenait à Hôtel-de-Ville. Là, elle bénissait les ascenseurs et les escalators, il fallait s'enfoncer encore sous terre et rejoindre un second métro, qui ressemblait plus à un funiculaire, et qui grimpait jusque Hénon, une station après le quartier de la Croix-Rousse. La pente était raide, parfois le wagon stoppait en pleine montée, elle avait l'impression qu'il allait se décrocher et les rejeter tout en bas, sur la presqu'île.

On trottait encore vingt minutes, avant de contourner un dernier bâtiment, on passait une première barrière et l'on pénétrait dans un parc. Sur la gauche, un entrepôt avec un large porche. On allait toquer, «Loup y es-tu? Je mets mes chaussettes, je mets mes bottes...» Le petit sursautait d'entendre la voix de sa mère ainsi déformée, caverneuse, était-ce du lard ou du cochon? C'était le loup mon enfant, le grand gentil loup. Alors on approchait la grille de la crèche, puis la porte vitrée, derrière laquelle des enfants jouaient calmement au garage ou à la poupée.

Sur la route du retour, tandis que le métro freinait des quatre fers dans les pentes de la Croix-Rousse, elle déchiffrait les graffitis sur les murs. Partout, elle croyait reconnaître le nom de Chaze. Maintenant qu'elle s'y intéressait, elle n'avait jamais vu autant de tags, la ville semblait en être totalement saturée.

33

Aucun client ne la rappelait et lorsqu'elle les sollicitait, «vous n'auriez pas une couverture, une maquette, quelque chose», ils s'excusaient, non, c'était le début de l'année ou les fêtes qui approchaient, c'était l'été, c'était le printemps ou l'hiver, il n'y avait pas de travail. Elle avait mis une année entière à réunir ce qu'elle réussissait à gagner avant en trois mois. Elle avait plusieurs loyers de retard, avait paré au plus pressé, le lait, les pâtes et les légumes pour l'enfant.

Elle avait enregistré de nouveaux numéros de téléphone sur son répertoire : la banque, l'agence de location et l'huissier. Lorsqu'un de ces trois numéros clignotait sur son smartphone, elle le regardait sonner, pétrifiée, attendait que l'écran redevienne noir.

Elle ressortit son CV. L'actualisa avec difficulté. Ses expériences professionnelles, si brillantes à ses débuts, et qu'elle avait pris soin de placer en haut de page, tendaient à s'espacer ensuite, pour devenir de plus en plus inconsistantes. Comme la filmographie sur Wikipedia des acteurs qui avaient démarré leur carrière avec des rôles très promet-teurs, dont les apparitions s'étaient vite estom-pées, de loin en loin, de séries télé de second plan jusqu'aux shows télévisuels où ils finissaient par arrondir les fins de mois, les débuts aussi.

Elle décida qu'on ne l'enterrerait pas si faci-lement, qu'elle allait se battre, et elle pensa à *La Chèvre de Monsieur Seguin,* qu'elle lisait le soir au petit, la chèvre n'avait-elle pas lutté, toute une nuit, contre le loup ? Elle inondait de ses CV les boîtes mails de ses anciens clients, des recruteurs, de toutes les entreprises suscep-tibles de la faire travailler. Puis elle rappelait le matin, étaient-ils disponibles pour la rencon-trer, lui confier une mission, même provisoire, la remettre sur les rails ?

On traversait une période préélectorale, on ne savait pas de quoi demain serait fait, ni à quelle sauce on serait mangés, les entreprises restaient prudentes, c'était l'attentisme. Elle rappelait des anciens des Arts déco, pouvaient-ils faire quelque chose pour elle, lui donner des contacts, partager son annonce, non, elle n'y connaissait rien en webdesign, ni en création numérique, elle était spécialisée dans l'édition papier, comme eux, ils étaient de la même promo, l'avaient-ils oublié ?

On lui répondait qu'on avait déjà bien du mal à tenir la tête hors de l'eau, les temps étaient durs et, bien souvent, on avait dû se reconvertir, dans l'enseignement, la formation ou vers des métiers plus manuels. Des passions s'étaient concrétisées, on avait toujours rêvé d'un métier plus terre à terre, la poterie par exemple…

En attendant, elle peaufinait son site internet, sa meilleure carte de visite, valorisait le moindre projet, la moindre réussite.

Traverser l'appartement, il doit être deux ou trois heures du matin. Lolo, lolo. Aucun courage pour résister à l'enfant et lui refuser un biberon en pleine nuit. Le couloir est sombre, à peine éclairé par la veilleuse de la petite chambre.

Une forme massive, inquiétante, près de la porte. Un molosse, un monstre. La panthère en peluche de l'enfant. Ouvrir le frigo. Plus de lait. Les placards du bas. Attraper un pack. Découper le film plastique autour des briques de lait. Couper le coin de la brique, verser le liquide dans le biberon. Transvaser dans une casserole. Allumer la plaque. Lolo, lolo! Ça arrive! Tremper le doigt dans le lait, deux, trois fois jusqu'à ce qu'il soit tiède. Vider le contenu dans le biberon. En faire couler à côté. Pester, et merde. Saisir l'éponge sur le bord de l'évier. Nettoyer le lait sur le meuble de cuisine. Chercher le capuchon du biberon. Le retrouver dans le lave-vaisselle. Le visser sur le biberon. Secouer.

Rejoindre la chambre de l'enfant. Il s'est rendormi. Elle repart avec le biberon et là, comme dans un film d'épouvante, l'enfant se redresse et hurle, «Lolo, lolo!» Elle se précipite et, dans sa hâte, culbute sur la panthère dans le couloir. S'étale de tout son long, le liquide du biberon s'écoule goutte à goutte sur le plancher.

Et l'enfant grandissait. De plus en plus beau, de plus en plus rayonnant. C'était un mystère, cette beauté au milieu de tant de dureté. C'était un teint clair, une bouche charnue et un petit nez délicat, c'étaient de grands yeux noirs dont les coins externes retombaient légèrement, lui donnant l'air un peu triste, on voulait le consoler, le cajoler, l'embrasser. Ses cheveux de plus en plus blonds formaient un casque adorable, et son corps était parfaitement rond, parfaitement frais. Rien ne choquait, rien ne dépassait, jusque dans chaque détail, cet enfant était une merveille. Il était drôle, joyeux la journée, pour compenser l'angoisse de la nuit. Il chantait à tue-tête, Ding ding dong, sonnez les mâtines, il soufflait dans sa petite flûte, tapait avec son marteau, et par-dessus tout, il adorait danser, se trémousser, avait développé un vrai sens du rythme. Quelle que soit la musique, il s'élançait, tournait sur lui-même, sautait, retombait au sol, et repartait aussitôt. Il fermait les yeux, mimait la musique, la vivait avec le corps comme avec l'esprit.

Une ancienne des Arts déco finit par la rappeler. Elle venait de monter sa boîte. Elle se spécialisait dans l'édition de catalogue de marques pour enfants, des chaînes de vêtements, des jouets. Elle sous-traitait avec différentes enseignes, cassait les prix du marché et grâce au bouche-à-oreille, les premières commandes affluaient. Avait-elle envie de tenter l'aventure ? De travailler pour elle ? Elle était justement sur un gros contrat, un catalogue de Noël, est-ce que ça l'intéressait ? Pouvait-elle venir à Paris pour une réunion client dès la semaine suivante ? Formidable formidable ! Elle lui mailait tout de suite le projet. Lui envoyait un coursier. Lui réservait son billet de train. Il n'y avait pas une minute à perdre.

Merci d'avoir pensé à moi, merci ! Elle aurait accepté n'importe quoi, alors un catalogue de Noël, c'était inespéré.

Le soir elle acheta du pain de mie, du jambon et du fromage. De quoi préparer des croque-monsieur. Une odeur de cuisine et de beurre envahit l'appartement. Le petit avala son sandwich en tapant dans les mains. Délichieux maman, c'est délichieux.

36

« Génial, super, génial ! » Elle avait rarement vu un garçon de café aussi zélé, il bondissait de table en table comme si sa vie en dépendait. « Un petit verre d'eau avec le café, je suis à vous, tout se passe pour le mieux ? Génial ! » Elle pensa au garçon de café de Sartre, son empressement, son dévouement suspect. Celui-là n'aurait pas détonné, il illustrait en tout point la théorie de la mauvaise foi. Le bar était plein, et les gens se souriaient. L'euphorie du serveur, simulée ou pas, se diffusait plus rapidement que les unes alarmistes des journaux sur le comptoir, Trump, Kim Jong-un, la troisième guerre mondiale était-elle en marche ? Sur le zinc du bistrot traînaient *L'Équipe* et *Le Progrès*.

Avant de rentrer travailler, c'était devenu un rituel, elle se prenait un café dans un bistrot. Ses premières sorties depuis la naissance du petit. Elle était entourée d'hommes le plus souvent. Comme dans ces TGV qu'elle reprenait de temps en temps pour se rendre à Paris. Des hommes où qu'elle regarde, aux heures de pointe, en première classe, en seconde classe. Des hommes en chemise, des hommes encravatés, des hommes en jean, avec ou sans lunettes, partout, des hommes. Qui allumaient leur ordinateur portable et remplissaient des tableaux Excel, ou visionnaient une série américaine, parfois leurs smartphones s'allumaient, elle aurait voulu en attraper un, l'emporter et glisser dans une autre vie, dans leur vie, celle d'un homme. Elle aurait lu leurs messages, répondu à leur place à leurs secrétaires, leurs assistantes, leurs épouses, je finirai tard ce soir, ma chérie, ne m'attends pas avant vingt-deux heures, couche les enfants mon cœur. Et mets-moi le dîner de côté s'il te plaît. Où étaient les femmes ? Encore à la maison ? Celles qui travaillaient en tout cas ne prenaient pas beaucoup le TGV. Et ne fréquentaient pas le bistrot du matin. Elle y croisait plutôt des agents immobiliers prenant le comptoir pour une salle de réunion, des retraités consultant la Bourse avec appréhension, des investisseurs, smartphone collé à l'oreille, « J'ai remplacé le locataire du 53, si, si, j'ai trouvé quelqu'un de sérieux cette fois, quelqu'un qui travaille ! Et quand mes locataires travaillent pour eux, ils travaillent pour moi ! »

Que faisait le petit ? Elle l'avait déposé ce matin à la crèche. Avait détaché ses mains agrippées à son cou et l'avait remis, hurlant, dans les bras de l'éducatrice. « Partez, maintenant partez, lui avait-elle ordonné, il ne faut pas rester, ce n'est pas bon pour lui... »

Elle avait mimé un baiser en arrondissant la bouche derrière la porte vitrée, hoché la tête de droite et de gauche d'une façon qu'elle imaginait burlesque, pour tenter de lui arracher un sourire, en vain. Puis elle avait tourné les talons, et s'était littéralement enfuie, sans se retourner sur les hurlements stridents. Elle avait contenu ses larmes en croisant d'autres mères dans les couloirs, retenu l'émotion jusqu'à la porte. Dans la rue, elle se relâchait enfin, se laissait déborder, mon petit, mon tout-petit. Elle courait dans la rue, elle fuyait, loin de la crèche, loin de l'enfant, elle sautait dans le premier métro. Dans la rame, elle relevait la tête, souriait aux gens, elle redevenait quelqu'un. Elle ramassait un gratuit sur une banquette, l'ouvrait à n'importe quelle page, se plongeait dans l'actualité. À Douai, un homme avait étranglé sa compagne avant de se pendre et le journal titrait *Double suicide*. Près de Nantes, un autre avait ligoté la mère de ses quatre enfants sur les rails. Un humoriste commentait « Il a sans doute voulu faire mentir l'expression "il n'y a que le TGV qui ne lui est pas passé dessus" ». Un autre avouait avoir tué sa femme à cause de sa personnalité trop « écrasante ». Il se sentait rabaissé, humilié, expliquait son avocat, c'est pourquoi son client avait fini par étrangler son épouse, puis la brûler.

Elle repoussait le torchon sur le siège du métro,

loin d'elle. Au bout de quelques minutes ça lui revenait, avait-elle bien prévenu la crèche que l'enfant était à nouveau pris du nez ? N'avait-elle pas oublié de glisser les doses de sérum physiologique dans le petit sac à dos ? Et sa cagoule, lui avait-elle bien laissé sa cagoule ? Ne risquait-il pas d'attraper une angine à cause de sa négligence ? Elle hésitait à appeler, se souvenait du ton de l'éducatrice qui lui avait dit «Partez maintenant, partez.» Après tout ils étaient équipés, ils avaient sans doute des médicaments, des bonnets en surplus. Elle faisait une pause au bistrot où elle consultait ses mails sur son smartphone. Vous n'êtes pas seule, lui annonçait une banque en ligne. Dernière ligne droite pour les soldes, lui écrivait une marque pour enfants. Livraison à domicile offerte, envoyait une autre.

Elle arrivait enfin chez elle, s'installait devant son ordinateur. La journée pouvait débuter.

Elle ouvrait InDesign. Repositionnait le texte sur la page d'écran. «Noël, c'est parti !» Commençait à entrer la longue liste des photos avec les prix des jouets. Les pages bleues pour les garçons. Les garages, les voitures téléguidées, les établis de bricolage, les revolvers et les déguisements de super-héros. Les pages roses pour les filles. Les cuisines, les planches à repasser, les Barbie et les vêtements de princesse. Rose. Bleu. Rose. Elle participait à ça. Elle cautionnait ça.

Mais il était déjà seize heures. Il fallait laisser le travail à peine entamé et partir à la crèche au plus vite. Elle en était incapable. Alors elle laissait filer les minutes, elle en attrapait des crampes, il était plus que temps d'y aller mais, certains jours, l'effort lui paraissait insurmontable. Elle travaillait en apnée, elle travaillait coûte que coûte. Et finissait par appeler la crèche, elle aurait un peu de retard, elle était sur la route. Une voix lasse au bout du fil lui répondait que son fils l'attendait dans l'entrée.

Le plus souvent elle arrivait à l'heure de la fermeture, dix-huit heures, dix-huit heures quinze, on avait réuni les quelques enfants encore présents dans le hall transformé en salle de jeux, ils étaient deux ou trois, souvent, son fils était le dernier.

Elle se confondait en excuses, une panne de métro, un rendez-vous qui s'était prolongé, elle tendait un petit pain à l'enfant, une compote, une sucette, quelque chose de doux pour l'amadouer. Se faire pardonner. Pendant quelques minutes, il boudait. D'abord, il refusait de quitter la crèche où on l'avait abandonné de si bon cœur le matin, il fallait courir à travers le hall pour le rattraper, il se cachait dans les coins, tournicotait, courait sur les bancs. Une éducatrice disait « Ta maman t'attend, il faut y aller, à demain. » L'enfant faisait la sourde oreille, l'animatrice insistait, « Voyons, il faut y aller maintenant, ça va fermer, je dois rentrer à ma maison, moi aussi ! »

Elle sentait qu'ils gênaient, ça suffisait, il était

temps de déguerpir. On les tolérait à la crèche, mais il n'était pas question de sortir des clous. Aux réunions, les parents venaient en couple, elle demandait à y assister avec son fils, on refusait, les réunions, c'était destiné aux adultes, oui, mais elle n'avait personne pour le faire garder, tant pis, la prochaine fois, qu'elle s'organise.

S'organiser, voilà le nerf de la guerre, voilà ce qui lui manquait. Il lui semblait que les autres jonglaient avec les horaires, les créneaux et que, par des tours de passe-passe mystérieux, les emplois du temps des familles s'harmonisaient, se complétaient, qu'ils avaient compris quelque chose qui lui avait complètement échappé jusqu'ici.

Parfois, la crèche l'appelait, il fallait venir chercher l'enfant tout de suite, ne s'en était-elle pas rendu compte, l'enfant était en sueur, il avait de la température, comment avait-on osé l'amener le matin dans un état pareil ? Elle venait d'arriver chez elle, reprenait le métro dans l'autre sens. Se demandait pourquoi, une fois de plus, c'était elle qu'on appelait, elle avait pourtant donné le numéro du père, ils auraient au moins pu essayer. Elle avait honte d'avoir de telles pensées, l'enfant était malade, il ne fallait pas perdre une minute. Elle envoyait un petit message au père, juste pour le prévenir, qu'il ne lui reproche pas un jour de ne pas le tenir au courant de leur vie, même s'il n'en faisait plus partie.

Une fois, l'enfant avait tapé un camarade, le soir, on l'avait convoquée, son fils avait été

odieux toute la journée, on le lui répétait, « o-di-
eux ». Jusqu'à frapper la tête d'un copain avec
un camion de pompiers. Pas n'importe quel
camion, un camion en bois, bien lourd. On lui
brandissait l'objet du crime, il fallait sévir. Si
l'enfant en arrivait à de telles extrémités, c'était
peut-être qu'il manquait de repères. Il refusait
l'autorité, c'était mauvais signe, il fallait réagir,
ne pas laisser pourrir la situation et se retrouver
avec un délinquant ou un drogué à dix-huit ans,
que comptait-elle faire ?

Le lendemain, le petit déclarait une otite, la
maladie couvait depuis quelques jours, et expliquait sans doute son comportement. Une otite,
les voilà rassurés pour cette fois.

Le soir à la télévision, une ancienne ministre se
désolait de manifestations de violence dans les
banlieues. Quand le journaliste l'interrogeait sur
les causes de ces débordements, elle déplorait
l'absence des pères dans les foyers, des enfants
élevés par des mères seules ne pouvaient que mal
tourner, entraîner la déliquescence de nos cités…

Elle ne pouvait se permettre aucune erreur,
aucun écart. L'enfant et elle devaient filer doux,
afficher zéro défaut, ne laisser aucune prise à la
société. À tout instant ils risquaient d'être étiquetés « famille à problèmes ». Ils étaient hors
norme, ils étaient fragiles, ils étaient suspects.

37

Dans le jardin du grand-père, un ballon attend. Le lit parapluie est déplié, les jouets ont été sortis de leur placard. Le siège rehausseur est fixé par deux bandes velcro sur la chaise de la cuisine.

Les canapés et la table du salon ont été recouverts de toiles blanches, épaisses, afin de prévenir les éventuelles salissures de l'enfant : traces de chaussure, lait renversé, morve essuyée sur les accoudoirs...

Le grand-père est venu les chercher à la gare, à l'arrière du monospace le fauteuil bébé haute sécurité est installé.

À l'arrivée, une délicieuse odeur de cuisine. Elle pose ses sacs et enlève le blouson de l'enfant. Allez vous laver les mains tout de suite, vous sortez du train ! rappelle le grand-père. Il a préparé du poulet cocotte, des légumes vapeur et des yaourts bio, il ne s'est même pas trompé pour le lait de croissance, grâce à la photo de l'étiquette qu'elle lui a envoyée par smartphone.

— Ce que tu as encore changé. Papou est content de te voir, fiston ! Papou est fier d'avoir un petit-fils qui grandit si bien.

Dans le garage, une surprise attend l'enfant. Papou lui a acheté un vélo rouge. Son premier vélo, avec des petites roues. L'enfant exulte. Essayons-le tout de suite. Le grand-père court derrière l'engin, bravo bravo !

C'est un grand moment. Fais une photo, vite, non, une vidéo plutôt.

Sur le trottoir, l'enfant fonce avec son petit vélo dans les jambes des passants.

Attention, attention, il fait n'importe quoi ! Doucement doucement, voilà, il faut lui apprendre à freiner. Mais il file droit devant, attends-nous ! Il vous a fait mal ? Pardon madame. Il va s'arrêter oui ou merde ?

À la cafétéria, le petit est plus intéressé par l'aire de jeux au fond de la salle que par son assiette.

— Il n'a rien mangé.

— Ce n'est pas grave, il joue.

Mais l'enfant veut qu'on vienne jouer avec lui.

— Ah non, laisse-nous au moins déjeuner.

Le petit insiste.

— Laisse-nous tranquilles.

Le petit hurle.

Les tables à côté se retournent.

Le grand-père se lève, « Si c'est ça, on s'en va ! »

Le petit repart en trottinant vers les jeux.

Elle rattrape le petit, « On y va maintenant, s'il te plaît. »

Les lumières, la musique, la compagnie des autres enfants, pas question de la suivre, il ne veut rien entendre.

Le grand-père s'impatiente à l'entrée du restaurant, « Alors il est où ? »

— Il joue encore cinq minutes.

— Mais il se fiche de nous ! Tu as cédé, tu as cédé ! Quand on dit quelque chose, on le fait !

La mère arrache l'enfant aux jeux, et traverse le restaurant en le tenant à bout de bras, hurlant et gesticulant, distribuant claques et coups de pied au passage.

— Il te frappe ? Ton fils te frappe, mais où on va ? Il est insortable, insortable ! C'est fini le restaurant avec lui, fi-ni !

Le train retour du lendemain est amer. Le ballon est encore dans le jardin de Papou. L'enfant a à peine eu le temps d'y jouer.

Les housses de protection sont aussitôt retirées des canapés, de la table basse, le lit parapluie est replié dans son étui, le rehausseur bébé remisé en haut de l'armoire.

À l'année prochaine Papou !

38

Paris gare de Lyon. Sac à dos, poussette chargée à bloc, ils attendent que la voie de leur TGV
veuille bien s'afficher sur le panneau central.

Près d'eux, un garçon à peine plus âgé que le
sien, trois-quatre ans, serre son doudou contre
lui. Deux femmes l'accompagnent, la mère et la
grand-mère manifestement. Un homme d'une
trentaine d'années les rejoint. Il salue sèchement
les deux femmes. Saisit la valise à roulettes qu'on
lui tend. Embrasse l'enfant. Allez on y va. Le hall
de gare est ouvert à tous les vents, il fait un froid
hivernal, ce n'est pas un lieu pour se parler, encore
moins pour se séparer. L'enfant regarde alternati-
vement son père, sa mère, son père.

La mère s'approche du père, dont le visage
se ferme aussitôt. L'homme fait signe à l'enfant
de se dépêcher. C'est l'heure, on va finir par le
rater, ce train.

Les deux parents ont chacun fait leur tronçon
de trajet et s'échangent leur fils à mi-chemin. Ils
vivent éloignés mais ont cet enfant en commun.

Un enfant à troquer régulièrement, sur un quai de gare, ou une aire d'autoroute, c'est selon.

La grand-mère embrasse l'enfant, caresse vaguement ses cheveux. La mère se met à genoux et étreint une dernière fois son fils. Ça suffit maintenant ! Le père glisse un mot à l'oreille de l'enfant. Qui saisit la main tendue du père. Ils s'en vont. Le petit se retourne plusieurs fois. Essuie ses larmes avec son doudou. La mère s'écroule dans les bras de la grand-mère. Le père a pris son fils par l'épaule, l'entraîne vers une autre vie, un autre voyage. Avant de monter les escalators, le petit se retourne une dernière fois vers sa mère en secouant son doudou, comme pour la consoler.

39

Puis ce fut un hurlement dans la montagne :
— Hou ! hou !
Elle pensa au loup ; de tout le jour la folle n'y avait pas pensé... Au même moment une trompe sonna bien loin dans la vallée. C'était ce bon Monsieur Seguin qui tentait un dernier effort.
— Hou ! Hou ! faisait le loup.
— Reviens ! Reviens ! criait la trompe.
Blanquette eut envie de revenir ; mais en se rappelant le pieu, la corde, la haie du clos, elle pensa que maintenant elle ne pouvait plus se faire à cette vie, et qu'il valait mieux rester.
La trompe ne sonnait plus...
— Et après ?
— Tu le sais, toi, ce qui se passe après ?
— Le loup la croque, ham.
— Oui, mais avant qu'il ne la croque, tu te souviens ?

— Tu veux une brioche au chocolat pour le goûter?

— Oh oui, oh oui!

Le petit entame sa brioche pendant qu'elle s'active à la cuisine. Deux minutes d'inattention. C'est ce qui lui suffit pour se barbouiller le visage de feutre ou vider sa briquette de lait par terre. Là, il s'est contenté d'enfoncer deux figurines en plastique dans le petit pain, qui en émergent maculées de chocolat gras.

— Stop, passe-moi ça, c'est dégoûtant!

Elle arrache les jouets des mains du petit. Il hurle.

— On dit pas «dégoûtant», on dit pas «dégoûtant»!

— Je dis ce que je veux! C'est moi l'adulte!

Elle passe les figurines sous l'eau puis se souvient qu'il y a des piles à l'intérieur. Oui, il y a certainement des piles dans ces putains de figurines puisque quand elle appuie sur leur tête, leur ventre s'illumine.

Le temps de sécher les jouets avec un torchon,

le petit s'est écrasé le reste du pain au chocolat sur les yeux. Ça pique, alors ça pleure.

Elle court chercher un gant de toilette, l'humidifie sous le robinet d'eau tiède, revient vers l'enfant, vite, vite, en extraire le maximum, nettoyer les cils, les paupières.

À son tour de hurler :

— Pourquoi, putain, pourquoi putain, tu te mets du chocolat dans les yeux ? Tu trouves ça marrant ?

L'enfant la fixe, ahuri, puis fond en larmes.

— Tu peux pleurer !

L'enfant se jette dans ses bras, elle le repousse. Il hurle :

— Papa, Papa, je veux Papa !

— Calme-toi !

— Il est où mon papa ?

41

MÈRE SOLO + AUTORITÉ

Chloé _28

Help ! Mon fils a trois ans, et je ne m'en sors pas. Il s'impatiente, trépigne, exige et si je ne réagis pas dans la minute, il hurle ! Je suis entièrement vouée à satisfaire ses désirs, je cherche un doudou, prépare des pâtes que je lui sers à moitié cuites pour ne plus l'entendre crier, je tends la tétine, il a le don de me tyranniser… Dès qu'il crie en fait, je ne maîtrise plus rien, je n'ai qu'une obsession : qu'il s'arrête. Dans ma précipitation à le faire taire, je me précipite, renverse un paquet de farine, ou me coupe carrément les doigts, je deviens folle ! Je pourrais lui dire non, plus tard, attends, mais dès qu'il se met à crier, je panique ! C'est comme si je devenais sa chose ! Alors il m'arrive, c'est vrai, de lui mettre une petite fessée. C'est le seul truc qui marche en fait (j'ai essayé de le punir dans sa chambre, de discuter, rien à faire…).

Quand il est calmé, je me sens mal et je culpabilise. En plus j'ai eu beaucoup de mal à l'avoir cet enfant, mon compagnon de l'époque n'en voulait pas alors j'ai fait appel à un donneur (banque de sperme). Est-ce que vous pensez que ça peut avoir un lien avec l'état de mon fils ? Aujourd'hui, après tous ces efforts, j'en viens presque à regretter d'avoir « forcé » le destin.

Comment avoir un peu plus d'autorité sur lui ? Avez-vous des conseils ? Pas facile quand on est seule de rester à la fois douce et bienveillante et de leur poser les fameuses limites ! Surtout quand ils sont déchaînés ! Ce soir, je n'avais qu'une hâte, qu'il s'endorme, que je respire à nouveau !

Manudad

Tu parles de culpabilité et c'est peut-être le problème. Si tu te sens coupable envers ton fils de l'avoir fait naître dans ces conditions, tu ne dois pas réussir à avoir les bonnes réactions avec lui. Essaie de ne pas tout mélanger, car on culpabilise très vite quand on est en solo, et ça ne fait pas avancer le schmilblick.

Rien de plus normal qu'un enfant de trois ans refuse l'autorité, c'est aussi comme cela qu'il se construit, maintenant, je suis d'accord, c'est fatigant et même, très fatigant, les petits qui crient, qui ne font pas exactement ce qu'on leur dit de faire dans la minute. Tu n'as donc pas à culpabiliser, c'est l'âge et ça passera. Mais oui, je comprends bien que ce ne soit pas facile pour toi de « jouer » à la maman ET au papa en sévissant quand nécessaire.

Je n'ai aucun conseil à te donner, juste te dire que ton fils a peut-être plus besoin d'écoute que de punition, mais je sais, c'est bien plus facile à écrire sur un forum qu'à faire.

Chloé _28

Merci du soutien ! Tu as vu juste, je vais essayer de travailler sur ma culpabilité, qu'elle cesse d'empoisonner chacun de mes mots et gestes ! Et pour le reste, la discussion reste la meilleure solution ! Bonne continuation à toi !

Manudad

Pas de quoi !

Nous sommes rodés ma fille et moi ! Ça fait sept ans que nous vivons ensemble, presque un vieux couple, lol.

Chloé _28

Tu vis seul avec ta fille ?

Manudad

Bah oui, ce sont des choses qui arrivent à tout le monde ;)

Chloé _28

Et tu habites où ?

Manudad

Je suis en région parisienne, et toi ?

Chloé _28

Région parisienne aussi, Montreuil. On pourrait peut-être se rencontrer ?

Manudad

@Chloé : la suite sur MSN, je t'ai envoyé un message privé…

Elle ferme la fenêtre. Elle entre : MÈRE SEULE + RENCONTRES.

Elle ne clique pas sur le lien « Baiser une mère célibataire près de chez vous ». Elle ne clique pas non plus sur « Mère célibataire salope », ni sur « Mère célibataire qui s'envoie en l'air ».

Elle reformule sa requête : MÈRE SEULE + RETROUVER AMOUR.

42

La pluie sur son visage.

La pluie enfin.

Elle court le long des vitrines closes.

Un lundi matin à Paris.

Elle a pris le premier TGV. Six heures quinze.

C'est le grand-père, venu pour quelques jours, qui a amené l'enfant à la crèche ce matin.

D'ailleurs, toute la journée, chaque fois qu'elle croisera quelqu'un, à chaque rendez-vous, on lui demandera « Où est l'enfant ? Qu'avez-vous fait de votre enfant ? Vous avez un fils, il me semble ? Et vous l'avez laissé ? » Elle se demande si on pose aussi cette question au père. Non, elle ne se demande pas, elle se doute qu'on n'importune pas les pères avec ce genre de détail.

Quelques personnes âgées traînent leurs caddies de courses de trottoir en trottoir.

Un homme sort d'une boulangerie, un sac de viennoiseries à la main.

Le grand-père a dit « C'est plus facile maintenant qu'il n'y a plus les couches. »

Elle sniffe la pluie et le bitume mouillé.

Elle glisse ses écouteurs dans ses oreilles.

La ville s'ouvre à nouveau.

Métro ligne 1, station Louvre. À l'entrée du Carrousel, un vigile demande à voir son sac, elle l'assure qu'elle ne se rend pas au musée, mais qu'elle a rendez-vous. Rendez-vous pour un nouveau travail, elle précise. L'homme ne veut rien entendre et fouille le sac en bonne et due forme.

Dans l'escalator, elle croise une classe de collégiens, âgés d'une douzaine d'années.

Ils rient, ils rayonnent.

Sans doute un voyage scolaire.

Elle se retourne sur leur passage.

Bientôt son fils sera un de ceux-là.

Son fils.

Elle a un fils, un fils !

Elle déplie une bâche de plastique sur le sol de la cuisine. Scotche ensemble plusieurs feuilles de papier A4.

L'enfant s'impatiente.

— Peinture, peinture !

— Du calme, je vais te chercher des couleurs.

Elle verse un peu de gouache rouge dans une assiette en papier qui fait office de palette.

— Non, du bleu, je veux du bleu, du bleu !

Dans une seconde assiette, elle vide une partie du tube bleu cyan.

L'enfant se précipite.

— Attends, attends !

Elle lui enfile un tee-shirt en guise de protection, remonte les manches du pyjama.

— Enlève tes pantoufles aussi !

Elle lui tend un panier où sont réunis les accessoires du parfait petit peintre : pinceaux de différentes tailles, rouleaux en mousse, éponges, brosses à dents…

L'enfant choisit une éponge en mousse en

forme de fleur, la trempe dans le bleu, puis le rouge, le bleu, le rouge…

— Et voilà mon amour, tu as fait du violet !

L'enfant tapote avec l'éponge les feuilles blanches, puis la bâche, ses pieds…

— Reste sur la feuille, attention, SUR la feuille !

Elle se relève pour aller chercher un godet d'eau, quelques secondes à peine, et l'enfant a déjà saisi un jouet qui traînait près du meuble de cuisine, un dragon en plastique aux couleurs verdâtres.

— Non !

Trop tard, l'enfant a badigeonné la figurine, d'abord les ailes symétriquement déployées, puis les pattes, les griffes…

— Pourquoi tu fais ça ? Pourquoi tu peins ton dragon en rose ?

— Parce qu'il était pas joli !

— Oh c'est malin, on dirait un Jeff Koons maintenant…

L'enfant saisit un Playmobil qui a eu la drôle d'idée de s'aventurer par là.

Et un Playmobil fuchsia, un !

L'enfant s'applique. Elle ne l'a jamais vu si concentré.

Elle vide la totalité des tubes de bleu et de rouge dans les assiettes en papier. Elle s'assied à côté de lui. S'empare elle aussi d'un pinceau. Pose du rouge sur la feuille blanche. Étire la couleur jusqu'à ce qu'elle devienne transparente.

Respire. Reprend un peu de rouge, de bleu. Respire. Les mains dans le mauve, le fuchsia, le violet...

Les jouets s'accumulent sur la bâche au hasard des prises de guerre de l'enfant, un zèbre en plastique, une petite auto... et le monde devient rose.

— Pas Spiderman, on avait dit pas Spiderman !

44

Elle s'inscrivit sur un site de rencontres via son smartphone. Elle mit deux photos datant d'avant l'accouchement. Et compléta avec un selfie. Sur l'image, ses traits semblaient altérés. C'était le même visage que sur les photos précédentes mais des sillons s'étaient formés des deux côtés de la bouche, des pattes d'oie étaient apparues au coin des yeux, c'était bien ça, des pattes d'oie ! Les sillons étaient déjà marqués, deux ou trois de chaque côté. Ses joues s'étaient creusées et sous ses yeux, deux ombres gris-bleu.

Elle était passée de l'autre côté. Elle aurait beau essayer des crèmes, surveiller sa ligne ou soigner sa garde-robe, elle n'était déjà plus une jeune femme. Une vieille femme alors ? Elle n'était ni jeune ni vieille, elle était juste ce terme générique, ce terme qui se vidait de son contenu sitôt prononcé, une femme. L'arrondi de son visage s'était affaissé, comme si la peau avait lâché par endroits, sous l'effet de la pesanteur. Oui, c'était comme si depuis quelque temps elle subissait de plein fouet ce à quoi elle avait par miracle réchappé jusqu'alors, la loi de la gravité. Deux bajoues déformaient le bas de son visage et sur le cliché que lui renvoyait son smartphone, elle voyait un bouledogue, oui, elle avait une tête de bouledogue, elle qui avait toujours craint les chiens.

Elle donna son premier rendez-vous au square, devant les tourniquets.

Il y eut les hommes qui acceptèrent de venir jusque-là, et ceux qui refusèrent, ça faisait déjà un bon tri. Ça ne sembla pas gêner le premier en tout cas, il répondit à son texto illico, « C'est parti pour le square. » Elle s'y rendit comme chaque samedi, l'enfant jouait. Elle s'y rendit comme chaque samedi sauf qu'elle attendait quelqu'un. Quand il arriva, il portait un chapeau. Elle ne l'identifia pas tout de suite. Ils échangèrent quelques mots, puis l'enfant l'appela. Il semblait en mauvaise posture, agrippé à un petit mur d'escalade qu'il ne parvenait pas à franchir. Elle interrompit l'homme et s'excusa, l'enfant, là-bas, c'était le sien et il avait besoin d'elle. L'homme la suivit et l'aida à redresser l'enfant, à le hisser jusqu'en haut du mur d'escalade, ils se sourirent. Ensuite l'enfant cria, tapa, exigea, et il ne fut plus possible d'aligner deux mots. L'homme dit qu'il comprenait, qu'il avait eu des enfants lui aussi, qu'ils étaient grands maintenant, Dieu merci. Chacun rentra chez soi.

Le samedi suivant, elle eut un deuxième rendez-vous au square. Elle prit soin d'appeler avant la rencontre. Au téléphone, la voix était douce. Elle préférait annoncer la couleur, son fils serait là, on ne pourrait pas vraiment causer, mais se voir déjà, échanger quelques mots. C'est ce qu'on appelle un speed dating, dit l'homme à la voix douce. Un square dating, pensa-t-elle en raccrochant.

L'homme à la voix douce était très nerveux, il sautillait autour d'elle dans le square, virevoltait, faisait des démonstrations d'on ne savait quoi, racontait qu'il était photographe, puis journaliste, non chanteur, aimait-elle la musique brésilienne ? Quand l'enfant fondit sur eux, elle le tira par la manche et prétexta l'heure du goûter pour filer.

Elle proposa à un troisième homme de passer directement chez elle, un soir, quand le petit serait couché. Elle le fit patienter au pied de son immeuble, lui envoya des textos, le petit ne s'endormait toujours pas, ce n'était qu'une question de quart d'heure, puis de minutes, qu'il patiente encore un peu et qu'il ne sonne surtout pas à l'interphone, ça réveillerait l'enfant. Elle descendrait elle-même lui ouvrir dès que l'enfant dormirait. L'homme réussit à pénétrer dans l'immeuble. Il dut insister lourdement, un voisin refusait de le laisser entrer, le questionnait, chez qui allait-il, pour quelles raisons ne sonnait-il pas, un vrai flic.

Elle ouvrit la porte à l'homme, trempé des pieds à la tête. Mit l'index sur sa bouche, pas de bruit, lui demanda d'enlever ses chaussures. Elle lui indiqua le salon. L'homme écarta quelques Lego sur le canapé, ôta les petites voitures, et ils s'assirent enfin côte à côte.

Elle regardait droit devant elle, les dessins de l'enfant, punaisés sur le mur. L'homme se taisait. À force de fixer le mur, les dessins s'animèrent, les gribouillis, les coups de feutre se mirent à danser sous leurs yeux, tu le vois le bonhomme patate comme il bouge ? dit-elle à l'homme. Mais l'homme ne répondit rien.

Alors elle se mit à parler, parler, à envahir le petit salon de ses mots. Et plus elle parlait, plus le mur en face disparaissait, et l'espace autour d'eux s'ouvrait.

Quand elle se tut, l'homme se pencha pour l'embrasser. Le coup classique, se dit-elle. Mais les lèvres étaient chaudes, les gestes sûrs, elle lui montra le chemin de sa chambre. L'homme mit une chaise pour bloquer la porte, comme une barricade. Si l'enfant se réveillait, il ne les surprendrait pas. Quand ils s'allongèrent, elle dit qu'il n'y avait pas de place pour quelqu'un dans sa vie pour le moment. L'homme murmura « J'ai tout mon temps. »

Ses cartons étaient prêts. Des cartons de jouets, de vêtements, d'ustensiles de cuisine, elle les avait étiquetés pour le prochain appartement. Il y aurait une pièce de moins certes, et ils s'éloignaient du centre-ville, mais le loyer serait divisé par deux. La mesure d'expulsion dont elle avait fait l'objet la rendait prioritaire pour un logement social. Elle conservait deux chambres et un salon minuscule, mais deux chambres tout de même. Petit à petit, elle pourrait peut-être rembourser ses impayés et les frais d'huissier qui avaient plus que doublé la facture. Elle s'était débarrassée du lit à barreaux, désormais trop petit, des vêtements de bébé, entassés dans de grands sacs, des gigoteuses, de la baignoire en plastique, des hochets, du tapis d'éveil et des jouets premier âge.

Dans quelques jours, un camion arriverait et embarquerait leurs affaires. Des amis de la ville d'avant, venus à la rescousse, lui diraient « Tu es sûre que tu veux rester ici ? Tu es sûre que tu ne veux pas remonter par chez nous?» Mais elle repenserait à cette scène à la gare de Lyon, à cet enfant que les parents s'échangeaient sur un quai, dans un hall anonyme. Elle se souviendrait des sanglots de la mère, du visage fermé du père et de la pauvre grimace de l'enfant, de son dernier sourire tandis que son père l'emmenait, elle se souviendrait de ce quai de gare et elle dirait «Pas question, on reste ici.»

Elle regarda par la fenêtre, le long boulevard, les commerces, elle allait regretter ce quartier animé. Là où ils partaient, il n'y avait que des immeubles, des immeubles et rien alentour. Il fallait prendre un bus pour rejoindre le centre. Fini les escapades, fini les moments volés à la nuit. En somme, il ne lui restait plus que quelques jours avant le déclassement final. Elle se ressaisit, elle allait regretter le quartier, oui, mais pas les voisins. Le déménagement avait lieu samedi. Mais avant, il fallait qu'elle sorte une dernière fois.

46

*Énorme, immobile, assis sur son train de derrière,
il était là regardant la petite chèvre blanche et la
dégustant par avance. Comme il savait bien qu'il
la mangerait, le loup ne se pressait pas ; seulement,
quand elle se retourna, il se mit à rire méchamment.*

*— Ah ! Ha ! La petite chèvre de Monsieur Seguin !
Et il passa sa grosse langue rouge sur ses babines
d'amadou.*

*Blanquette se sentit perdue… Un moment, en se
rappelant l'histoire de la vieille Renaude, qui s'était
battue toute la nuit pour être mangée le matin, elle
se dit qu'il vaudrait peut-être mieux se laisser manger tout de suite ; puis, s'étant ravisée, elle tomba en
garde, la tête basse et la corne en avant, comme une
brave chèvre de Monsieur Seguin qu'elle était… non
pas qu'elle eût l'espoir de tuer le loup, les chèvres ne
tuent pas le loup, – mais seulement pour voir si elle
pourrait tenir aussi longtemps que la Renaude…*

*Alors le monstre s'avança, et les petites cornes
entrèrent en danse.*

Ah! la brave chevrette, comme elle y allait de bon cœur! Plus de dix fois, elle força le loup à reculer pour reprendre haleine. Pendant ces trêves d'une minute, la gourmande cueillait en hâte encore un brin de sa chère herbe; puis elle retournait au combat, la bouche pleine... Cela dura toute la nuit. De temps en temps la chèvre de Monsieur Seguin regardait les étoiles danser dans le ciel clair et elle se disait:

— Oh! pourvu que je tienne jusqu'à l'aube...

L'enfant s'est levé à cinq heures, comme s'il avait senti quelque chose. Elle a installé une couverture à même le sol, s'est allongée près du petit lit. Elle lui a tenu la main jusqu'à l'aurore. À six heures et demie, ils étaient déjà dans le salon à jouer, à triturer de la pâte à modeler.

Elle l'a laissé jouer seul pendant qu'elle prenait sa douche. Étonnamment, il n'a pas crié, ne l'a pas rejointe dans la salle de bains, ni exigé qu'elle sorte illico, qu'elle reste «à côté, à côté». Il lui est si souvent arrivé d'installer le garage à voitures ou les Lego dans la salle de bains afin qu'il puisse jouer là sans la quitter des yeux.

Elle s'habille légèrement, douche l'enfant et lui passe un short et un tee-shirt. Il insiste pour enfiler seul ses sandalettes.

Dans la poche avant du petit sac à dos fusée, elle glisse un goûter et une compote. Sur la route, ils achètent un pain au chocolat. Elle le dépose à la crèche vers huit heures trente. Elle doit sonner car le portillon d'entrée est déjà verrouillé.

L'auxiliaire lui fait remarquer son retard, est-il donc si compliqué de se lever le matin ? A-t-elle pensé à s'acheter un réveil ? L'année prochaine ce sera l'école, et à l'école on n'est plus aussi gentil, l'heure c'est l'heure, et elle trouvera à coup sûr porte close. À neuf heures, elle reprend le métro dans l'autre sens et rentre chez elle.

Elle range l'appartement, trie les derniers jeux, nettoie les dernières traces de pâte à modeler sur les plinthes, les portes, les placards. Passe l'aspirateur et lave les sols, cuisine, salle de bains, nettoie et dépoussière tout ce qui peut l'être avant l'état des lieux de sortie.

Vers seize heures trente, elle repart chercher l'enfant à la crèche, ils s'arrêtent au square avant de rentrer.

48

L'enfant ronflote quand elle referme la porte de l'appartement. C'est son premier sommeil, le plus lourd. S'il se réveille, c'est rarement avant deux, trois heures du matin. À cette heure, elle sera largement de retour.

Les premiers pas dans la rue. Toujours le même kif. La poitrine qui s'ouvre, l'air qui circule à nouveau.

Ses muscles se relâchent un à un. Sa nuque se réveille, endolorie, ses épaules. Ses jambes qui, à chaque pas, dessinent une ville différente. Une ville de nuit.

L'alarme du téléphone est programmée. Tout est sous contrôle.

Elle longe les guinguettes le long de la Saône, emprunte les pentes d'accès vers les quais.

Il n'y a personne ce soir. Personne sous le pont. Elle s'approche d'un mur totalement tagué. Du doigt, elle suit les pleins, les déliés, les courbes. Effleure les dégradés de couleurs sur la pierre froide, les coulures de peinture. Les lettres sont entremêlées, abstraites. Tant de signes, de signatures, illisibles pour les profanes. Tracés dans l'urgence, la peur de se faire pincer.

Elle aussi, lorsqu'elle était enfant, elle aimait avoir peur. Elle enjambait la fenêtre de sa chambre, la nuit. Elle traçait des mots à la craie sur les trottoirs de sa rue, ou de celle d'à côté, histoire de brouiller les pistes. Elle écrivait « Attention, Fantômette est passée par là. » Ou alors : « Gare aux aigrefins ! » Le lendemain, la pluie avait tout effacé. Ou alors les feuilles qu'elle avait scotchées à la va-vite s'étaient déchirées, ne formaient plus que des lambeaux de pâte blanche et molle sur le sol.

Il est vingt-trois heures. Elle a le temps de se prendre une bière dans un bar. Une seule. Histoire de fêter sa dernière fugue.

Elle traverse la presqu'île, puis le pont Morand sur le Rhône. Emprunte le cours Franklin-Roosevelt. Remonte jusqu'au boulevard des Brotteaux. À droite, un café-concert devant lequel elle passe chaque jour depuis des mois, le Métronome. Sa façade noir et rouge contraste avec les bars plus aseptisés, plus bourgeois du quartier.

Elle pousse la porte et s'installe près du comptoir. Un concert se prépare. Au fond de la salle, deux types font la balance. Monte-moi un peu cette guitare. J'ai pas de retour son. Ah bon ?

Une brune, s'il vous plaît. Un barman lui tend une pinte de bière belge, sombre et amère.

La bière irrigue lentement chacun de ses membres, coule là où il faut.

Dans la salle, des étudiants fêtent la fin de leurs partiels. Quelques couples tripotent leurs smartphones.

Un type se tient dos au comptoir, peau mate, boucles brunes dépassant du bonnet, c'est Chaze.

Les essais de basse sonnent lourdement, une reprise un peu chargée de Bowie, un Bowie des débuts.

Chaze est à côté d'elle.

— J'ai vu tes tags un peu partout…

Ils se sourient.

— Celui sur le pont y est toujours !

— Tu bois quelque chose ?

Le bar se remplit. Devant elle, une fille tatouée ondule. Des types chevelus balancent leurs cuirs, à droite, à gauche.

Odeurs d'alcool, de sueur.

Elle ferme les yeux.

Et quand elle les rouvre, elle l'aperçoit. Du fond de la salle, la concierge la dévisage.

Qu'est-ce que Paloma fout ici ?

La concierge se penche vers sa voisine de table. Elles se tournent toutes les deux dans sa direction. Pourquoi la fixent-elles ainsi ? Rentrer, rentrer tout de suite. Chaze n'a pas le temps de protester quand elle le bouscule et renverse sa bière. Sortir du bistrot. Paloma peut-elle la dénoncer ? Elle a de plus en plus chaud, et ce n'est pas que l'effet de l'alcool.

Elle pense à Beverly, à Lulubluette, à Chloé_28 qui dort peut-être dans les bras de Manudad… La concierge doit être en train de prévenir la police. Vite ! Ils sont déjà en train de toquer à l'appartement, d'enfoncer la porte. Ça va réveiller l'enfant, Maman ! À côté, à côté !

Une rue puis une autre, longer le square. Le grand boulevard, interminable. Des véhicules de police en double file devant son immeuble. Clignotement bleu des gyrophares sur le toit.

Quelques voisins et badauds sur le trottoir forment un cordon de sécurité. Elle fonce. Un policier lui bloque l'entrée.

— Je vis ici !

— L'accès est interdit pour le moment, personne ne peut circuler.

— Que s'est-il passé ?

— Votre pièce d'identité.

— Je m'appelle Leroy, vérifiez sur les boîtes aux lettres !

Elle hésite quelques instants. Regarde le policier, les voisins, le policier…

— Il y a mon enfant chez moi !

— Votre enfant ?

— Il n'a que deux ans, je vous en supplie.

— Il y a un gosse de deux ans seul là-haut ? C'est ce que vous êtes en train de me dire ?

Elle acquiesce.

— Et son père, il n'est pas avec lui ?

— Non.

173

— Quel étage ?

L'agent sort une radio de sa poche, elle l'entend prononcer dans un micro, «l'enfant, la mère…», puis le son se brouille. Il est sans doute trop tard, bien trop tard. L'enfant est mort, asphyxié, brûlé, l'enfant n'est plus. Par sa faute, sa négligence. Qu'est-ce qu'elle a fait ? Mais qu'est-ce qu'elle a fait ?

Un autre policier s'avance vers elle.
— Madame Leroy ? Veuillez nous suivre s'il vous plaît.

Des agents la précèdent dans le hall d'entrée, puis les escaliers. Les escaliers qu'elle a dévalés de si bon cœur il y a à peine quelques heures.

Au quatrième, une vieille dame en robe de chambre devant sa porte. Un des policiers l'interpelle, «Restez chez vous madame, surtout, ne sortez pas pour le moment !»

Au sixième, deux policiers en faction sur le palier.

Porte de droite. C'est ici. Elle retourne son sac à même le sol pour trouver ses clés.

Hurle le prénom de l'enfant en ouvrant la porte.
Rien.

Puis l'enfant apparaît, en culotte, se frottant les yeux.
— Qu'est-ce qu'y a maman ?

49

Sur son clavier, elle écrit : ANAÏS SEGUIN +
ACTUALITÉS. Elle clique sur un article du *Progrès*.

Drame de la séparation : Un policier tue sa femme et
son fils avant de se suicider.

Ce sont plusieurs détonations qui ont alerté les voisins
vers vingt-trois heures. L'homme aurait tiré à bout portant
sur son épouse et leur fils de deux ans, avant de retourner son arme de service contre lui.
    Le drame s'est déroulé dans le quartier des Brotteaux,
à Lyon 6ᵉ. Le couple était marié mais l'épouse avait fait
une demande de logement social, en vue d'une séparation. Selon le procureur, l'homme « n'aurait pas supporté
que sa femme veuille le quitter ».

Sur la première photo illustrant l'article, la
façade de son ancien immeuble. Elle fait défiler
l'écran et le visage de la voisine apparaît en gros
plan. Anaïs Seguin avait trente-quatre ans, dit la
légende.

Dans les commentaires, elle écrit « Ça n'est pas un drame de la séparation, c'est un meurtre, un putain de meurtre ! »

Un message l'informe qu'elle doit s'enregistrer avant de pouvoir commenter sur le site. Elle n'a pas que ça à faire. Des piles de cartons l'attendent dans son nouveau salon.

Elle en saisit un sur lequel il est écrit, au marqueur noir, « Cuisine ».

À l'aide d'une paire de ciseaux, elle éventre le carton.

DU MÊME AUTEUR

Aux Éditions Gallimard

C'EST DIMANCHE ET JE N'Y SUIS POUR RIEN, coll. L'Arbalète, 2014 (Folio n° 6233).

UNE FEMME AU TÉLÉPHONE, coll. L'Arbalète, 2017 (Folio n° 6450).

TENIR JUSQU'À L'AUBE, coll. L'Arbalète, 2018 (Folio n° 6781).

Chez d'autres éditeurs

QUAND NOUS SERONS HEUREUX, Éditions Le Passage, 2010 (Points Seuil).

QUE NOS VIES AIENT L'AIR D'UN FILM PARFAIT, Éditions Le Passage, 2012 (Points Seuil).

COLLECTION FOLIO

Dernières parutions